# 一〇〇年前の世界一周

## ある青年が撮った日本と世界

*Chronique d'un monde dispar*
*1905-1966*

写真・回想録　ワルデマール・アベグ
文　ボリス・マルタン
訳　岡崎秀

NATIONAL GEOGRAPHIC

目　次

グランドツアー　5

大西洋　広がる水平線　15

新世界　いくつかの冒険　25

太平洋　宙に浮いた時間　101

極東　不思議に満ちた世界　113

インド洋　憂鬱な帰国　217

その後の世界　227

「挑戦するだけでも立派なことだ」
プロペルティウス

# グランドツアー

Le Grand Tour

ワルデマール・アベグは世界を旅することを夢見ていた。四年前の一九〇一年、議員補佐としてプロイセン王国のヴァルデンブルクに赴任して以来、その想いは募る一方だった。両親に愛され、学校で優秀な成績を残し、善良な市民に成長したワルデマールは、公務員として安定した生活を送っていた。だが自分の将来がこのまま図面どおりに進んでしまうのではないかとの危惧が、かねてからの想いをいっそうあおり立てていたのだ。

一九世紀、ドイツは数々の紛争を起こし、あちこちと同盟を結びながら領土を広げていた。プロイセン王のヴィルヘルム一世は老練な政治家のビスマルクを首相に起用した。一八七〇年にはセダンの戦いで勝利を収め、フランス領だったアルザス＝ロレーヌはドイツへ割譲された。フランスは屈辱を受け、国民のあいだでは報復心が芽生えていた。一八七一年、ベルサイユ宮殿の鏡の間で、新しく樹立されたドイツ帝国の皇帝として、ヴィルヘルム一世の戴冠式が行われた。ワルデマールがベルリンで生まれたのはその二年後の一八七三年のことだ。

当時、ジュール・ヴェルヌの著書『八十日間世界一周』が出版されたばかりだった。幼いワルデマールは自分も主人公のフィリアス・フォッグと同じように、将来ニューヨーク、サンフランシスコ、東京、ボンベイなどを訪れることになるとは夢にも思わなかっただろう。

子供時代のワルデマールが最も影響を受けたのは四歳年上の兄、リヒャルトだ。リヒャルトは好奇心旺盛な少年で、幼いときから化学と物理に大きな関心を寄せていた。ティアガルテン通りにあった家のガスの配管工事を一人で手がけ、両親を仰天させたこともあった。いたずら好きだが、五人兄弟の長男として弟や妹の世話を焼いた。リヒャルトの次は同年に生まれた長女、マルガレーテ。その下がワルデマール。三歳年下のヴィルヘルム、一八八二年に生まれた末っ子のコンラートと続く。リヒャルトは一番年の近い弟のワルデマールを特に可愛がったようだ。

平和な日々のうちに、子供たちはすくすくと育っていった。法学者の父は企業と海軍で顧問を務めたあと、銀行の頭取となった。母親もドイツ東部の銀行家の娘で、今は家族の世話に専念している。十二部屋もある広いアパートはいつも整頓され、五線譜に記されたような規則正しい日常が営まれていた。

毎朝、七時に父親が子供たちを起こす。冷たい塩水で顔を洗うのが日課だ。子供たちを学校に送り出したあと、母親は使用人を指図しながら家事を切り盛りする。そして果物とボルドーワインの軽食を取ったあと、午後一時まで休息する。子供たちが帰宅し、スープ、ロースト肉、野菜、サラダ、果物のシロップ煮の昼食が始まる。マルガレーテとワルデマールは軽い貧血を患っていたため、特殊なビールを飲まされた。この風変わりな療法のせいでワルデマールは生涯、ドイツの国民的飲み物が苦手となってしまう。

食後は父親の昼寝の時間だ。そのあいだ、子供たちは町の中心にあるティアガルテン公園に散歩に出る。公園の東端は威圧的な彫刻が並ぶ帝国議会議事堂とブランデンブルク門によって区切られている。その先にはボダイジュの並木が影を落とすウンター・デン・リンデン大通りが続き、馬車を引く馬のひづめの音が遠くから響いてくる。退屈な散歩が終わると、それぞれピアノ、バイオリン、乗馬などのレッスンに向かう。母親は買い物に出かけ、父親は仕事に戻る。

夜には家族が集《つど》って質素な夕食を取る。食後、父はスリッパに履き替え、別室で新聞を読み、書類の整理に専念する。母は部屋で読書をする。十時になればすべての明かりが消され、一同は眠りにつく。単調で幸せな日々が繰り返された。

五人の兄弟は仲がいい。当然ながら唯一の女の子、マルガレーテは男の子たちにもてはやされた。末っ子のコンラートは兄たちの仲間に入れてもらえるのがやっとだ。あまり勉強が好きではない彼に対し、親はさほど期待をかけていなかった。リヒャルト、ワルデマールとヴィルヘルム（ヴィリー）の三人の結束は固かった。リヒャルトがリーダーで、彼の指揮によって男の子たちの寝室は実験室と化した。リヒャルトは成績も優秀で、科学者になるだろうと誰もが予想していた。ヴィリーも兄に劣らず優秀だ。活発でユーモアのセンスにあふれ、芸術的才能も備えていた。特に音楽に情熱をそそいでいたが、その道に進むとは誰も考えていなかった。父や祖父のように法学者になると両親は当然のように考えていた。

そしてワルデマールはどんな子だったのだろう。母親は彼を「自信家で、ちょっと冷たい子」と見ていた。ワルデマール自身は「デリケートで感受性が強かった」と振り返る。ある日、ワルデマールは母が父にこう話しているのを耳にした。「リヒャルトは努力家で情熱家ね。ヴィリーは優れた知性を持っている。だから二人はきっと成功するわ」。それではワルデマールはどうなるのだろう。兄のように優れた科学者になる才能があるのだろうか。それとも文科系の道が彼に適しているのだろうか。兄と弟が備えている才能を少しずつ借り受けながら人生を歩むことになるのだろうか。

リヒャルトの影響によって、ワルデマールにも科学に対する興味が芽生えたが、彼がまだ自分の将来に迷っているのを両親は感じていた。リヒャルトの方は、のちにノーベル化学賞を受賞するオストヴァルト博士の下で研究を行うことが決まった。そこで両親は兄にワルデマールの面倒を見させることにした。ワルデマールは兄を追って研究所があるライプチヒにおもむき、化学と物理の勉強を始めた。しかしそれが自分の歩むべき道だという思いには至らない。さらに兄と一緒にキールに行き、もう一度科学に取り組んでみたが、自分には法律の方が向いているのではないかと考えるようになる。その後、リヒャルトはアレニウス博士の下で研究するためストックホルムに移る。アレニウス博士は当時まだ注目されていなかった温室効果理論の生みの親であり、彼もまたのちにノーベル化学賞を受賞した。リヒャルトはスウェーデンで研究を重ね、後年、国際的な名声を得ることになる。

ワルデマールの気持ちはまだ定まらない。兄のあとを追う一方で、彼は徐々に自分の興味の分野を開拓していく。ワルデマールは幼年時代から船に情熱をそそいでいた。母に内緒で、兄と弟を引き連れ、ティアガルテン公園の池でボートを借りることもしばしばあった。実は密かに海軍の将校になることを夢見ていたが、強度の近視なのであきらめざるを得なかったのだ。キールでヨットの操縦を習うと、自分用に一隻買ってくれるよう父にせがんだが、その願いはなかなか実現しなかった。そこへ次の情熱の対象、写真が登場した。

十六歳の誕生日にワルデマールは祖父から写真機をプレゼントされた。彼が手にした最初の写真機だ。鏡と同じように世界を映すことができるこの技術を、フランス人のダゲールが発明してからまだ五十年しかたっていない。当時の写真機は重たいガラス板を使うので、かなりかさばるものだった。まずは新しい技術に対して貪欲なリヒャルトが操作の手ほどきをした。ヴィリーは芸術的センスを持ち込み、画面構成の重要性を教えた。兄に協力するために、自分の小遣いをつぎ込みさえした。二人は「アベグ兄弟写真工房」というスタンプを発注し、ワルデマールが撮った写真の裏にこれを押した。

ワルデマールは写真に夢中になった。まだ写真機が珍しい時代で、撮影していると人だかりができるほどだった。煩わしさを避けるため、朝の四時に起きてキール港に停泊している船を撮影しなければならなかった。両親の家のトイレで現像するのだが、不便に耐えかねた父親は二つのトイレを増設した。ついにワルデマールは自分が情熱をそそげる対象を見つけたのだ。父親は写真学校に通わせることに同意し、ワルデマールは常に優秀な成績を収めた。

しかし、写真はあくまでも趣味であり、その範囲を超えることは許されない。人生には「安定した職につく」という課題があり、そこから目を背けることがあってはならない。アベグ家のように社会的な地位がある場合はなおさらだ。ワルデマールも安定した将来への準備を始め、一八九二年、キールで法学部に入学した。これが自分に適している道だと確信していたわけではない。しかし生涯座右の銘とした「何をやるにしても慎重に、そして最終目標から目を離さずに」という言葉を守り、法律の勉強を始めた。

進路を変えるには苦労がともなう。法律の参考書は勉学よりも、ズボンの皺《しわ》を伸ばすことに役立った。それにワルデマールは写真をあきらめたわけではない。それどころか最高級の写真機を購入したほどだ。二十歳になる前にはキールを離れてフライブルクに移り、そこで男子生徒のための学生組合に加入する。その主な活動は浴びるほど酒を飲み、メンズールと呼ばれるサーベルでの決闘をおこなうことだ。

キールにいたころ、ワルデマールはリヒャルトからこの決闘の手ほどきを受けたが、決闘後もコニャックをあおらずにはぬぐえないほどの恐怖を味わった。おそらくフライブルクでの孤独感や、新しい環境に順応したいという気持ちから、学生組合に参加したのだろう。帽子やリボンで飾り立て、サーベルを振りまわす陽気な団体に属することで、のけ者となる危機を避けたのかもしれない。

ワルデマールは決闘中に頭に怪我を負い、傷跡が残った。顔の傷がドイツ人の証しと言われるくらい、当時のドイツではこの種の決闘が頻繁に行われていた。フライブルクでは一学期過ごしただけで、その後ストラスブール（当時はドイツ領）、そしてベルリンで学生生活を続け、二十二歳で法学の博士号を取得する。公務員としての前途が目の前に開けたのだ。

一八九五年、ワルデマールはベルリン裁判所の判事に任命された。ここで三年間勤務し、次はザクセン州のマグデブルクに出向し、三年間を過ごす。一九〇一年に上級公務員の試験に合格し、シュレージエン地方（後にポーランドの一部となる）のヴァルデンブルクへ転勤となる。

ワルデマールは周囲の期待に応え、立派なキャリアを築いていった。しかし兄のように優秀な科学者になる夢は消え、世界の海をまたぐ海軍の将校になる夢も消えた。そして何よりも、写真家の道を歩むという夢が消えてしまった。

そのころ、彼と同年代のドイツ人写真家アウグスト・ザンダーは、あらゆる階層のドイツ国民のポートレートを撮るという記念碑的な作品を手がけていた。『二〇世紀の人々』と題するこの労作は、当時始まったばかりの歴史の一時期を写し取っている。つまり一九〇〇年のパリ万国博覧会で幕を開け、希望と、進歩と、平和への確信に満ちた一時期を。のちに「ベルエポック」と呼ばれるようになるこの時代には、アールヌーボーが興隆し、技術がもてはやされ、人々はのんきに無頓着に日々を送っていた。しかし破局の予兆はすでにあちこちに表れていた。世界の運命は風前の灯だった。

ワルデマールの世界も大きく変貌していた。当然ながら両親は老い、マルガレーテは結婚して三人の子の母となっていた。コンラートは軍隊で下士官となったが、軍事訓練中の事故で不慮の死をとげる。ヴィリーはベルリンの裁判所で判事となり、妻と共に音楽や乗馬を楽しんでいた。

リヒャルトは科学者として申し分のない経歴を積むと同時に、あらゆるものに情熱を燃やし続けていた。スキーから気球まで、彼の活動力はとどまるところを知らなかった。一九〇〇年七月の飛行船ツェッペリンの初飛行におおいに刺激されたのは疑いない。リヒャルトはたえず走りまわっていた。あたかも限りある命をむさぼりつくそうとするかのように。セイロン、インド、ジャワへの大旅行も果たし、再び弟が道を開く手助けをする。これが最後の手助けになるとは知らずに。

一九〇五年、ワルデマールは三十三歳になり、ヴァルデンブルクに赴任して四年がたっていた。彼は毎週、ヴロツワフで化学研究所の所長を務めるリヒャルトを訪ねた。リヒャルトは結婚式を控えていたので、残る独身者はワルデマールだけとなる。リヒャルトはワルデマールの面倒を見続けた。よく寝付けるようにと、ルーマニアのカロル一世王妃エリザベタが所有していた振り子時計をプレゼントしたりもした。

ワルデマールは眠りを恐れていた。夜に限ったことではない。自分の人生が眠りに陥ってしまうことを恐れていたのだ。自分を束縛する仕事と自分を悩ませる願望のあいだで苦しんでいた。前年の一九〇四年から、彼はスウェーデンで再びヨットに乗り始めていた。兄からは遠くにある神秘的なアジアの国についての話を聞く。ワルデマールはヴァルデンブルクでの暮らしを、そしてドイツにいること自体を窮屈に感じるようになっていた。自分自身の中にある壁、自分の周りにある壁を打ち破り、別の世界を発見することを渇望した。この裕福で安定した世界の向こう側で、生き生きと脈打つ世界を。

とはいえ、自分の周囲の貧困から目を背けているわけではない。たとえば自分が勤務するシュレージエン地方ではマラリアが流行し、人々が苦しんでいることを知っていた。この僻地《へきち》の発展に力をそそぎ、役人としての仕事をまっとうし、家庭を築き、家族全員の期待に応える人生を送る。そのことに異存はない。しかしその前に旅がしたい。神秘に満ちた国々の空気を胸いっぱいに吸い込んでみたいのだ。

旅への欲求はかなり以前からワルデマールの中に芽生えていた。一九〇一年に国家公務員試験を受ける前、彼はすでに自分の希望を父親に打ち明けていた。合格したら費用を援助すると父親は約束し、ワルデマールは優秀な成績で試験を突破した。しかし新しい仕事についてすぐに旅に出ることはできないので、数年ほど待つことにしたのだった。四年が過ぎた。そろそろ一年間の休暇を申し出てもよいころではないだろうか。

表向きの目的は、非行少年の更正に関する情報収集のための研修旅行とすればいい。嘆願書をシュレージエン地方の行政大臣に提出すると、大臣は自分がフランクフルトに設立した社会科学研究所で半年ほど研修を受けるようワルデマールを説得した。出世に役立つと十分に承知しつつも、彼はその説得を巧みにかわした。「世界をもっといろいろな角度から見たいと上司にほのめかした」とワルデマールは回想している。そして最後には上司の承諾を得た。自分の欲求を抑え、他人の期待に応えることを優先しがちなワルデマールにとって、この旅は初めての自由なふるまいだったろう。

当時は若者が旅をしたいと申し出ても、家族や上司はさほど驚かなかった。一七世紀以来、イギリスの上流階級の若者は教育の締めくくりとして、また、交友関係を広げる手段として、ヨーロッパを旅行することが多かった。旅の経験は社交の場での話の種としても役立った。イギリスではこのような旅をグランドツアーと呼んでいた。

行き先はフランス、イタリアが中心で、時としてギリシャも含まれた。旅の目的は見識を広め、教養を高めることではない。ましてや自分の文化を客観的に見つめるためでもない。紳士としての資格を得るために「必見のもの」を見てまわることだ。しかし時代とともにグランドツアーは様変わりし、イギリス人だけでなく、アメリカ人、フランス人、そしてドイツ人も同じような旅をするようになった。旅の範囲も広がり、アナトリアや極東にも足をのばすようになった。交通手段の発達によって、遠隔の地でも快適に旅行できるようになったからだ。また単に美しい風景を求めるだけでなく、他の文化を理解する旅へと、少しずつ姿勢も変わっていった。

ワルデマールが求めたのもこのような旅だった。彼はのちに世界中にあふれかえる旅行者の先駆けといえるかもしれない。快適な旅を求めはするが、多少の不便は受け入れる準備がある。また自分なりの確信を持って出発するが、それが揺らぐこともあると承知している。ワルデマールはついに世界に対して心を開いたのだ。そしてその後、その心の窓を二度と閉ざすことはなかった。

自分が見た世界を記録するためには、青年時代からずっと情熱を燃やし続けてきた写真が最も適している。ワルデマールは二台の写真機を用意した。一台はリヒャルトから贈られた南ドイツカメラ製作所のセヴェス。もう一台はカールツァイス社のミニマム・パルモス。軽くて持ち運びに便利で、旅行中にフィルムを補給しやすい機種だ。

どこから世界旅行を始めるのか。二〇世紀初頭、世界は平和で進歩し続けているように見える。しかし、混乱の可能性を多分にはらんでいた。東回りのルートを取ろうか。だがドイツ帝国の東に接しているロシアは不安定な状況にあるらしい。一月にはサンクト・ペテルブルクで、レーニンとトロツキーが指揮する騒動が起きたと聞く。日露戦争で日本に敗北したのはツァーリの権力が揺らいでいることの証しだとのうわさも伝わっている。

しかし、ロシア帝国は大英帝国と東洋の覇権を争う

「グレート・ゲーム」で先手を取ったというではないか。ロシアの戦略はコンスタンティノープルの占領を手始めに、サンクト・ペテルブルクからウラジオストクへ、ベンガル湾からカラ海へとまたがる広大な帝国を築くというものらしい。シベリア鉄道は完成間近だ。この荒涼とした土地に鉄道を引くこと自体がその意図を物語っている。東方は不安定な状態にあるといえるだろう。今は東へ向かうのを避けたほうがいい。数カ月もすれば、また落ち着きを取り戻すだろう。

ワルデマールはヨーロッパに興味がないわけではない。フランスはどうだろう。いや、近すぎる。それに一八七〇年の普仏戦争の記憶がまだ両民族のあいだに残っているし、最近ではモロッコを巡って再び緊張が高まっている。

ワルデマールが行きたいのはもっと遠くだ。大西洋を横断してアメリカ大陸に足を踏み入れる。「すべての可能性を秘めた国」としてイギリスの入植者が選んだ大陸。アイルランド人が飢餓を逃れて渡った大陸。そう、アメリカだ。耕作地を求める開拓者や、金鉱の熱に取りつかれたカウボーイたちをインディアンの地に送り込み、西部を征服し、辺境を押し広げた国。新大陸の先にはヨーロッパ人を魅了してやまない神秘的な極東がある。その二つの世界のあいだには見渡す限りの大海が広がる。日付変更線が人を惑わし、大地を忘れるほどの大海原が。

一九世紀と二〇世紀の境目で生きたワルデマールは、前世紀の生き残りであると同時に、新しい時代の斥候でもある。彼の記録によって、以後の世界がどう変わったのか、はっきり見て取ることができる。大きな変化もあれば、些細なものもある。そして何よりも、彼の写真は歴史学者、エリック・ホブズボウムが「歴史と個人の記憶の境界に位置する薄闇のゾーン」と呼ぶ、つかの間に存在した時代を照らし出している。それこそが、この「視覚的物語」の力強さだ。

一九〇五年四月。待ちに待った旅立ちが目前に迫ってきた。ジュール・ヴェルヌはその前月、この世を去ったばかりだ。これは「旅に出ろ」とワルデマールの背中を押すサインなのだろうか。いよいよ出発だ。子供時代にあこがれた『八十日間世界一周』の主人公とは反対に、西へ向けての出発となったが、それは問題ではない。果たしてワルデマールも本を著すのだろうか。

結局のところ、本は書かれなかった。意欲がなかったわけではないし、誘いがなかったわけでもない。彼は言葉の人間ではなかっただけだ。旅の印象を書きとめようとしたことは何回もあったが、そのたびにノートや紙切れをなくしてしまう。彼の表現手段は写真だ。あたかもこの新しい発明が、彼から言葉を奪い去ったかのようだった。

ところが、それから五十年後、言葉が突然よみがえった。八十歳を超えたワルデマールは、若かりし日の大旅行の思い出を書きとめる作業に取り組んだ。失われた世界が巻き返しを図るかのように、若き旅人の声が強い輝きを放ちながら、私たちに語りかける。

# 大西洋

## 広がる水平線

L'océan Atlantique

ドイツ北西部、北海からさほど遠くない距離にあるブレーメン。町を流れるヴェーザー川はやがて海にそそぎ、スカンジナビア沖を下ってきた海流と合流することになる。ようやく春の兆しが見えてきた一九〇五年四月の朝、ワルデマールの旅はここブレーメンから始まった。まずは汽車に乗り六十キロ先のブレーマーハーフェン港に向かう。これは客船バルバロッサ号の一等客専用列車だ。

皮肉なことに、一九四一年に、ナチス政権下の第三帝国がソビエト連邦に対して仕掛けた軍事作戦の名前もバルバロッサだった。しかしロイド社が所有するバルバロッサ号（赤ひげ号）は一万キロトンの平和な客船にすぎない。これより高速の船に乗ることもできたが、運賃が高いだけでなく、バルバロッサ号よりも小さな船になる。ワルデマールは乗り心地のよさにこだわったのだった。

一九四一年のバルバロッサ作戦と異なるもう一つの点。それはバルバロッサ作戦が東に向けての侵略であったのに対し、このバルバロッサ号は西に向けて出発したことだ。ワルデマールが西回りのルートを選んだのは、静かな旅を望んでいたからだ。「世界一周旅行に出るほとんどの人は東回りのルートを取るだろうと私は考えた。そうすれば冬にインドを、桜の季節に日本を訪れることができるからだ。ということは船もホテルも込み合っていることだろう。しかし西回りのルートを取れば船も汽車もホテルも比較的すいているはずだ。途中で反対の方向からやってくる観光客に出くわすことは避けられないだろうが……」

この推測が望みどおりの結果をもたらしたかどうかは定かでない。しかし、ワルデマールがこのように考えたこと自体、当時すでに他の旅行者と出会うのを嫌い、それを避けるようにスケジュールを練る人がいたことを物語っている。いずれにせよワルデマールは結局、春に日本に滞在することになった。

先を急ぐのはやめよう。汽車はブレーマーハーフェン港に到着したばかりだ。大旅行に出る直前のうきうきした気分の旅人たちに交じって、ワルデマールは双眼鏡で河口を観察していた。するとなんとバルバロッサ号が沖に出ていくではないか。旅人たちは置いてけぼりを食らったのだと勘違いし、一瞬大騒ぎになる。実は水位が下がったため、船は沖合いで待機することになっただけで、あとから艀船《ふせん》が乗客をバルバロッサ号まで運ぶのだ。この説明を受けて旅人たちは安堵した。待ち時間に客たちは知り合いになったが、ワルデ

1905年4月。ワルデマールはドイツを出発し新大陸へ向かった。バルバロッサ号には観光旅行に出る者もいれば、よりよい未来を求め旅立つ者もいた。

マールと特権階級の乗客たちは、二等と三等の乗客たちに一瞥を投げかけるだけだった。彼らは何者なのだろう、と。

船が沖合に避難したときに波止場を襲った騒ぎによって、ワルデマールの夢想は中断された。実は旅が始まって以来、彼はいくばくかの不安を抱えながらも、夢心地で過ごしていたのだった。「ブレーメンで過ごした最初の夜のことだ。家族や住み慣れた家に別れを告げ、未知の土地へ出かけることを思うと、私はいまだ経験したことのない奇妙な感情に包まれた。心は崇高なロマンチシズムに高揚していた」

しかし彼が波止場で見かけた人々の、心を締めつける苦しみと不安に比べたら、彼の心に浮かんだ甘いノスタルジーは、ともすれば不謹慎な感傷になりかねない。そのことに彼は気づいていたのだろうか。

質素なジャケットに身を包んだ男たち、白いスカーフを頭に巻いた女性たち、ひ弱な子供たち。彼らの多くは当時、ロシアとポーランドを荒廃させていた大虐殺から逃れてきたユダヤ人だ。何世紀にもわたって彼らが背負わされてきた苦難は今、過酷さを増していた。ヨーロッパを去ろうとする移民の波は絶え間なく続いていた。船底の船室にぎゅうぎゅう詰めにされようとも、自由の国への出発なのだ。彼らにとってブレーメンの肌寒い春は希望に彩られていた。

「さまよえる民」として運命づけられた人々と共にワルデマールの旅は始まったが、ワルデマールは彼らの存在に無頓着だったようだ。少なくとも彼の回想録は移民たちのことに触れていない。とはいえ、もし自分がその場にいたら、世界を見物するためではなく、命を守るために旅に出る人たちに話しかけ、彼らの境遇を理解しようとしただろうか。歴史を振り返るとき、私たちは安穏と、いささか無責任に自問することができる。

旅人は身軽に旅をしたがるものだ。自分の良心、他者に対する思いやり、世界情勢の考察といった荷をも手放してしまうことがある。同時に旅は偏見を矯正する体験でもある。旅が進むにつれワルデマールの視界は広がることになる。しかしこの時点では自分の身分が与えてくれる特権を良心の呵責なく味わっていたのだった。

経験者たちのアドバイスに従い、乗船してすぐにスチュワードにテーブルの配置図を見せてもらうことにした。この時なら自分の好きなテーブルを予約することができるのだ。私は第二船医であるフランク医師の隣の席を選んだ。彼は若いがベテランの船乗りだ。また、自分の身分に配慮し、他の客と区別してもらえるように船長に挨拶状を出した。これも助言に従ってのことだった。ラングロイター船長はサロンで私の姿を認め、しばしのあいだ会話を交わした。

食事のテーブルでは二人の年配のアメリカ人女性と知り合いになったが、当時の私の英語はつたないものだった。慣れない言語で話すときは気をつけねばならないことをそのときに学んだ。

ある日、甲板のデッキチェアに座りコナン・ドイルの小説『バスカーヴィル家の犬』を読んでいる婦人を見かけた。とても血なまぐさい小説だ。そこで私は笑いながらその婦人に話しかけ、そのような「血なまぐさい《ブラッディ》小説」は読まない方がいいと忠告した。しかし、英語では「くそったれ《ブラッディ》の小説」という意味になってしまって、ご婦人の前では決して口にしてはいけない言葉だったのだ。

出発前にワルデマールが受けた英語のレッスンだけでは、微妙なニュアンスまで理解するには不十分だった。むしろ彼は英語よりラテン語に親しんでいた。たとえばイタリアを旅行していた父親と兄から、寄港先のシェルブールに送られた電報は、ラテン語でこう書かれていた。「Salve faveque」(元気で行ってこい)。大西洋横断に出る前に届くようにとの心遣いの、短いメッセージにワルデマールはいたく感動した。旅立つ者すべてがそうであるように、ワルデマールも家族やそれまでの日常から離れるためには、ある程度の時間を必要としたのだった。

最初の数日間は、あとに残してきたものが気になって仕方ない。故郷のことやら身近な人々への報告やら。しかし日々は流れ、これらの気がかりは次第に薄れていく。ヨーロッパは遠ざかるものの、まだアメリカ到着後のことは頭にない。このときが航海における最高の時間だともいえる。

イタリアからの便りに支えられ、ワルデマールの心は解きほぐされた。快適な旅を求めるワルデマールは

二人用の船室を一人で使用できるようチーフ・スチュワードにはからってもらった。そして目の前に広がる水平線にすべてをゆだねた。写真機を肩から斜めにかけ、人、雲、夕日、そしてこの航海では無事、衝突せずにすんだ氷山などをフィルムに収めた。

イギリスの沖で数回霧が発生したものの、航海はつつがなく進んだ。ときおり、他の旅客船や帆船とすれ違ったり、氷山の一群がよぎったりすることがあった。当時、大西洋には氷山が数多く漂流していた。青味がかった氷山は素晴らしい眺めだ。しかし氷山の周囲の空気はとても低く、霧を発生させるので、船乗りを恐れさせるものでもある。したがってときには、船は非常にゆっくりと進まざるを得ない。乗組員は霧笛を鳴らし、それが一晩中鳴り響くこともあった。

タイタニック号が難破したのはこの七年後のことだった。おそらくワルデマールが回想録を書いていたとき、この事件に思いを巡らせたことだろう。しかし一九〇五年の時点では、氷山はまれに遠くに現れる船と同様、退屈な船旅に刺激を与えるものでしかなかった。出航して十日ほどたつと旅人たちのあいだでは、彼らを待ち受ける新大陸についての話題で持ちきりになる。多くの空想と夢を掻き立てたアメリカが近づきつつあったのだ。

下のデッキは迫害や貧困を逃れる移民たちであふれていた。

1905年4月26日。ニューヨークで、自由の女神の出迎えを受ける。これから乗客たちはそれぞれの運命に向かって歩み出すことになる。

最後の数日になると、会話の大半は到着後のことで占められた。どのようにうまく税関を通過するか、宿泊先はどうするのか。また、現地のマナーやお金のことなどについて、旅の経験者は新参者にあらゆる助言を与えた。

そしてバルバロッサ号はニューヨークに到着する。自由の女神が霧の中から姿を現し、大西洋横断の航海が終了したことを告げる。アメリカの独立百年を記念してフランスが贈呈したこの像が、ヨーロッパ人を出迎えるようになって二十年近くたっていた。タラップが降ろされ、税関の手続きが完了し、船上で親交を深めた客たちは鞄を手に、心に希望を抱き、それぞれの運命に向かって歩み始めた。

移民たちと異なり、ワルデマールの未来はこの旅にかかっているわけではない。彼には自分を待っていてくれる故郷があり、旅はそこに戻るまでの通り道にすぎないのだ。やっと安住の地にたどり着いた移民たちに向けて、ワルデマールは最後の視線を投げかけたことだろう。マンハッタン島南端の東部、ロウアー・イーストサイドの狭いアパートに落ち着くことになる彼らにとっては、まばゆい成功への、もしくは奈落への前奏曲が始まろうとしていたのだ。アイロンの形をしていることからフラット・アイアン・ビルディングと名づけられたビルをはじめとして、世界で最も高い建物が天に向かってそびえ立つニューヨーク。その谷間でアメリカン・ドリームは強い輝きを放っていた。

# 新世界

## いくつかの冒険

## Le Nouveau Monde

13
STARIN
TRANSPORTATION LINES
BALLANTINE'S

まずはハドソン川沿いに
並ぶ波止場に上陸する。

PIER 11
METROPOLITAN STEAMSHIP LINE.
FOR BOSTON
B.T. BABBITT
BEST SOAP.

ニューヨークの摩天楼は新大陸の歩哨であり、アメリカン・ドリームの前哨地でもあった。

当時のヨーロッパ人はアメリカを「無限の可能性を持つ国」と呼んでいた。彼らが新大陸に対して、いかに大きな期待を抱いていたかがわかる。一九〇一年にアメリカを訪れたドイツ帝国の実業家、L・M・ゴルトベルガーは帰国後に同名の著書を発表している。彼はアメリカ滞在中、ニューヨーク・タイムズ紙に寄稿し、帰国後の一九〇三年に発表した著作は注目を集め、名声を博していた。ワルデマールはアメリカに向けて準備を始めようとしたが、ヴァルデンブルクでは英語を勉強する以外に手だてがない。そこで父はゴルトベルガー氏に会うことを勧めた。

ワルデマールはこの出会いをユーモラスに語っている。「旅の目的を聞かれたので、私は仕方なく表向きの理由、つまり非行少年の更正の研究のためだと伝えた。しかし、経済界で活躍するゴルトベルガー氏がこのようなテーマに興味を持つわけがなく、会話はすぐに行き詰まってしまった。これほどの有名人に会っても、結局、ニューヨークの領事館宛に紹介状を書いてもらうという成果しか得られなかった」

二〇世紀初頭のヨーロッパはアメリカの話題でもちきりだった。あらゆる希望がかなう新天地として、財産を築こうとする者、広大な土地を探検しようとする者、亡命を願う者を引き寄せてやまなかった。一五世紀、コロンブスが偶然にアメリカ大陸に上陸して以来(彼はインドの海岸に上陸したと勘違いしたのだが)、アメリカの力強いイメージは膨らみ続けていた。

一九〇五年、フランスのル・モンド・モデルヌ誌はいくつかのアメリカ特集を組んだ。ゴールドラッシュについて「人々は熱狂して金鉱に群がる。恵みを受ける者もいれば、災いをこうむる者もいる」と伝えた。カウボーイについては「快適な都会生活には目もくれず、馬と銃を唯一の友とし、ネブラスカやミズーリの平原を駆け巡る自立心と誇りに満ちた驚異的な存在」と称えた。当時の新聞はアメリカのイメージを誇張して伝えていた。

それ以前からアメリカは世界に向けて自国の文化をアピールしていた。エッフェル塔が建築された一八八九年のパリ万国博覧会には、コーディー大佐、すなわちバッファロー・ビル(西部開拓時代のガンマン。のちにショーに出て欧米で人気を博した)の主催する「ワイルド・ウエスト・ショー」が参加した。パリのテルン門からシャンペレ門まで、インディアン、カウボーイ、開拓者、狩人、ボーイスカウト、メキシコ人など二五〇人のメンバーがパレードしながらアメリカン・ドリームを喧伝した。

　ワルデマールが到着したとき、アメリカは独立して一世紀以上たっていた。南北戦争後、一八六五年から一九〇一年まで続いた「金ぴか時代」は終わったばかりだ。この時代にアメリカは経済、産業が驚異的な発展をとげ、人口も大幅に増加した。鉄道や蒸気船の航路が発達し、銀行や工場は整備され、鉱山が発掘された。膨大な数の移民によって農地が耕され生産力は急増した。なおも発展する可能性を残していたが、アメリカの神話ともいえる西部開拓は一八九〇年以来放置されたままだった。しかし二〇世紀に突入する前に築いたものは、近代社会の基礎として受け継がれることになる。

　二〇世紀初頭のアメリカには過去と現在の姿が濃厚に入り交じっていた。砂漠の中で金を捜し求める者がいる一方、ロックフェラーのような三つ揃いのスーツに身を包んだ資本家が王国を築き始めていた。乗合馬車で過酷な旅をし、西部劇に出てくるような酒場で休む者がいると同時に、都会では高架を走る地下鉄路線が建設され、摩天楼がそびえていた。極端な現実が混在していた時代だ。それは当時、アメリカが持っていたエネルギーの証しでもある。半年近くアメリカを旅したワルデマールの写真を見ると、今日のアメリカが誕生する瞬間を目撃しているような思いがする。

　ホテルで数日過ごしたあと、ワルデマールはアパートを借りることにした。上手に英語を話せない引け目から、なるべく住民との接触を避けようとしたのだろう。まだ春だったが、ニューヨークでは、西プロイセンの出身者でさえ苦痛に感じるほどの暑い日が続くことがあった。アパートには彼にとって絶対条件の風呂場があり、少なくとも毎日汗を流すことができた。

　ひとまず部屋に落ち着いたあと町に出かけ、コダックのフィルムが簡単に手に入ることがわかって一安心した。しゃれた帽子をかぶった美女たち、かんかん帽姿の紳士たち、巨大な建物を覆いつくす広告、ブルックリン橋を闊歩する人々、ハドソン川に浮かぶ船などを次々とカメラに収めた。ニューヨークとその住民たちは活気にあふれていた。人々が何かを噛みながら歩いているのを見てワルデマールは啞然とした。忙しさのあまり食事半ばで外出しているのかと思ったのだ。それがチューインガムだと知って納得した。

ELECTRIC COTTON-LEATHER BELTING COMPANY
FACTORY OF
ELECTRICAL
40 CORTLANDT
E.B. LATHAM & CO.
39
Book Slate COMPANY
BERG & CO. ELECTRICAL CONTRACTORS
CREAM COFFEE
JAVA MILLS

P32
4カ月の滞在中、ワルデマールはニューヨークを歩きまわり、町の様子をカメラに収めた。モダンなビルを背景に馬車が止まっている。

P33
フラット・アイアン・ビルディングの足元を初期の自動車が走る。

左
ブルックリン橋を散歩している家族。

THE REPUBLIC
CARSON, PIRIE, SCOTT & CO.
E. SHOWER
On Credit
N. B. HOLDEN

HYDE & BEHMAN'S
THEATRE
BOWLING
THOMPSON
THE
GROCER.
FRANK'S PLACE
DRUGS
NOTICE TO PUBLIC
CUNARD LINE
SIGNAL FLAGS
CODE OF SIGNALS
BLUE FLAG
RED FLAG

P36
ベルエポック風のエレガントな服装をし、活気に満ちたニューヨーカーたち。

P37
ブルックリンにある劇場。

左
当時は「進歩の時代」であり、観光旅行者も技術に関心を寄せた。ワルデマールも完成間もない地下鉄の高架路線を撮影した。

URNITURE
BAUMANNS
CARPETS &c.
H. LITTLE & CO.
J. EHRLICH & SONS
TO RENT

薄汚れた裏通り、ガス灯、地下鉄の高架路線、四輪馬車、新築のビル。これらは巨大都市、
ニューヨークが20世紀初頭に生み出した姿だ。

一般的な乗り物はまだ馬車だったが、大通りでは電気で走る路面電車や高架鉄道が増えていた。道が石畳に変わりつつあり、馬車は次第に乗り心地が悪くなっていく。まだ自動車は珍しく、たまたま街角でガス灯に照らされた自動車を見つけると、ワルデマールは大急ぎでシャッターを切った。

ドイツ領事館を訪れて、学生時代の学生組合の仲間と再会した。また、元カメルーン総督でアフリカ人兵士を卑劣に扱ったことで悪名高い人物、ハインリッヒ・ライストに紹介された。しかしワルデマールはできるだけ彼らとの交際を避けた。彼は「好きなようにふるまいたかったので、窮屈な付き合いは避けた」とあとから説明している。彼は旅のあいだずっとこう考えていた。しかし、旅の表向きの目的、非行少年の更正についての比較研究のことは忘れなかった。一世紀以上たった現在から振り返ると、アメリカがこの問題とどう取り組んできたのか、この問題の解決にあたって資本主義制度は効果を発揮したのか、いささか疑問は残るが。

アメリカで用いられている更生法について調べるため、私は少年裁判官の判事と面会し、非行少年の犯罪の裁判に立ち会う機会も得た。一般的に非行少年は温情をもって扱われ、寛大な刑を受けている。このことを承知しているのか、被告人席に座っているあいだも、少年たちは心配したり怯えたりする様子を見せない。その後、感化院を見学し、アメリカとドイツのシステ

ハドソン川の岸辺は遊歩道となっていた。

ムがいかに異なっているかを知って驚いた。

ニューヨークで見学した施設は公園の真ん中にあった。柵で囲われているわけでもなく、鍵をかけて閉じ込められているわけでもない。とても居心地のいい場所なのだ。このような「監視」の仕方なら、少年たちに捕らわれているという意識を与えないが、反対に閉じ込めれば、自由になりたい欲望を刺激するだけだというのだ。もちろん行動に関する規則はいくつかあるが、それらは特典のようなもので、少年たちはこれを歓迎している。この施設ではまず十六人部屋に配属され、昇格とともに四人部屋、二人部屋へと移る。個室を与えられるのは最高の特典だ。誰もが個室にあこがれるので、少年たちはできるだけ規則に従おうとする。

木造の二階建ての小さな家が並ぶユニークな施設も見学した。説明によると、初代の入所者がこれらを建てたそうだ。入所者は報酬から天引きされた預金でこれらの家を買うことができる。個人の所有物なので、施設を去るときに売ることもできる。十分な預金がない場合は、抵当権を申し入れることもできる。このようにして少年たちは所有権に関して学んでいくそうだ。

ある日、兄のリヒャルトからセイロン土産としてもらったルビーの指輪が部屋からなくなるという事件が起きた。最初は道で落としたと思い新聞広告を出したが、他の新聞からも広告を出さないかと誘われる結果に終わった。宿主は宿の評判を傷つけたと憤慨し、ワルデマールと宿主の関係は気まずくなってしまった。

川には外輪式蒸気機関船が通る。

イースト・リバーから見るブルックリン橋。

この事件のおかげでワルデマールはいろいろな人と接することになり、彼の英語はいくらか上達したはずだ。

　最初の数カ月はニューヨークを拠点にフィラデルフィア、ボルティモア、ワシントン、バージニア州に小旅行に出かけ、ワシントンではホワイトハウスを撮影した。当時の大統領セオドア・ルーズベルトは、一九〇一年にマッキンリー大統領が無政府主義者に暗殺されたあとに就任し、再選を果たしたばかりだった。当時は無政府主義が横行していた時代で、フランスでは数年後にボノーが率いる無政府団体、「ボノー団」が殺人や強盗事件を引き起こしている。

　着任後、ルーズベルト大統領はマッキンリーの政策を引き継いでカリブ海、太平洋、ラテンアメリカでの勢力の強化を図り、日露戦争終結後のポーツマス条約や、モロッコを巡るフランスとドイツの紛争にも介入し、国際的影響力の拡大に乗り出した。世界の勢力図が確立しつつあり、アメリカはそれに乗り遅れないように動き出したのだった。一方、国内の情勢は後退しつつあった。「金ぴか時代」には奴隷制度が廃止され、黒人の地位が向上したものの、それにかわって、一九六〇年代まで続く人種隔離政策が導入された。

　真夏にバージニア州のリッチモンドで嚙みタバコの工場を見学したワルデマールは、このような描写を残している。「工場は南に向いていて、耐えがたいほど暑い。白人の労働者が一人もおらず、全員ニグロなのはその暑さのせいだろう。ニグロたちは裸で体から汗を流しながら働いていた。タバコの葉を体にこすりつけて汗で湿らせながら伸ばし、機械に入れていた」

時代の違いを感じる文章だ。当時、「ニグロ」という言葉が現在のように差別用語でなかったことを差し引いても、ワルデマールは何の同情も抱かずに黒人の境遇を報告している。少なくともこの文章によって、当時の人間のメンタリティ、そして「自由」が最も崇高な価値とされるアメリカで、マイノリティーがどのように扱われていたのかを知ることができる。

その後、ワルデマールはナイアガラの滝を見物に出かけた。オンタリオ湖のほとりにあるバッファローに到着すると、大地が震え、轟音が響いている。滝が五十メートル下の大地に叩きつけられる音だ。ナイアガラの滝はすでに世界中に知れ渡っており、この百年前にはナポレオンの弟、ジェロームが訪れている。二〇世紀初頭には旅行者向けのいろいろな施設が整っていた。彼はあらゆる角度から滝を撮影しようと船に乗った。次にトンネルを下りて滝を裏から見物する。水に濡れないようにとリネンのコートを借りて着たが、結局、ずぶ濡れになってしまった。中でも窓越しに見た滝の裏側からの風景にはおおいに失望する。観光地の開発には落胆させられることが多いものだ。

ワルデマールは近隣の州へ足をのばした。ワシントンではホワイトハウスを見学した。当時の大統領はセオドア・ルーズベルト。

オンタリオ州ではナイアガラの滝を見物した。当時すでに観光名所だった。

セントローレンス川を下り、ケベック州へ向かう途中、小さな島が点在するサウザンド・アイランズ地方を通る。
大きな家が立っている島もあった。

ナイアガラの滝からカナダへ足をのばし、多数の船が行き交う巨大なセントローレンス川を下った。まずはトロントに立ち寄り、そこからスウェーデンの風景を連想させるサウザンド・アイランズ地方へまわり、点在する島々を写真に収めた。「その多くは個人が所有する島で、豪華な別荘が立ち、モーターボートやヨットが停泊していた」とその様子を記している。船旅を続け、モントリオールに立ち寄るがあまり興味をそそられず、短期間滞在しただけだ。一方、次の停泊地ケベックは「寄るだけの価値があり、ここでは今でもフランス語を話す人が多い」ことに驚いた。ワルデマールは町を見下ろす城のようなフロントナク・ホテルをたいそう気に入った。

ニューヨークに戻ると、アメリカに到着してからすでに四カ月がたっていた。ワルデマールはニューヨークを知りつくした気持ちになっていた。少なくとも彼の用心深い性格が許す範囲内での探索は終わったし、周辺で興味を引く場所も一通り見た。どうやら彼なりの「西部開拓」に乗り出す用意が整ったようだ。ワルデマールはもう一度アパラチア山脈を越え、西に向かった。

二カ月をかけ、ピッツバーグ、インディアナポリス、ミルウォーキー、デイトン、セントルイス、セントポールなどを駆け足で巡るが、回想録ではこれらの都市についてほとんど触れていない。当時はまだ新しく建設されたばかりの町で、数年前まで荒野に囲まれた状態だった。ケンタッキー州では世界で最も長い洞窟、マンモス・ケーブを見学し、ピッツバーグでは名の知れた金属工業を見学した。

当時は進歩に対して強い信頼が寄せられ、観光名所と同じように工場が観光の対象となることも多かった。ワルデマール自身も興味深く観察してまわった。デイトンではレジを製造する会社、ナショナル・キャッシュレジスター社の工場を見学した。レジは生まれたばかりの資本主義におけるシンボル的存在だった。工場には圧縮された空気が流れるパイプが張り巡らされ、労働者がこれを使って自分の自転車のタイヤに空気を入れる。会社に革新をもたらした者には、利益の一部が分け与えられる制度が整っていて、ワルデマールは労働者が「丁重に進歩的に」扱われていること

とに感銘を受けた。

海軍の将校になることを夢見たこともあるワルデマールは、コロンブスが四世紀前に航海した三隻の船の実物大の模型を見るため、ミシガン湖のほとりまで行った。「こんなに小さな船だったとは驚きだ。不確かな目的に向かって出航したコロンブスの勇気と自信のほどが推し量られる」と深く感銘を受けた。彼自身も旅を続けている最中だったので、なおさら心に響いたのだろう。

汽車の旅は続く。鉄道は数年前からアメリカの内陸に張り巡らされており、ワルデマールも多くの路線を利用した。これからは、いくつかの町での短い滞在以外、一気に西海岸に向かうのだ。

ミズーリ州のセントルイスを出発して間もなく、トンネルの中で汽車が止まってしまった。煙が車内に充満し、多くの乗客は気分が悪くなった。ワルデマールは火事が起きたと思い、狼狽しながらも真剣に自問する。「なぜ自分は祖国、両親、家族のもとを去って旅に出たのか。家から遠く離れた見も知らぬ場所で、事故に巻き込まれて死ぬはめになるとも知らずに」

結局、大事には至らず、汽車は再び走り出した。しかしワルデマールがこのとき経験した気持ちは、長旅に出た多くの者が味わうものだ。旅に出たことによって将来を台無しにしたという後悔も、事態が収拾すれば滑稽なものとなる。旅を始めてから四カ月が過ぎていた。そろそろ旅に飽き始めていたのかもしれない。

1905年晩夏。ワルデマールは東海岸を去り、内陸の町を巡った。シカゴでも地下鉄の高架路線に魅了された。

シカゴの町を行き交う都会的
な身なりの市民たち。

LAKE S
CLEVELAN
CH
DAIL
EVERY SUNDAY
PORTAGE
TO

大都会のシカゴ。

1905年当時、汽車がアメリカ大陸を横断するようになってから数年がたっていた。ワルデマールも汽車に乗って西へ向かった。

「バラの町」ポートランドの建物を飾るイルミネーション。

オレゴン州のポートランドに到着したワルデマールは、コロンビア川に浮かぶ船を眺めながら静けさを味わった。

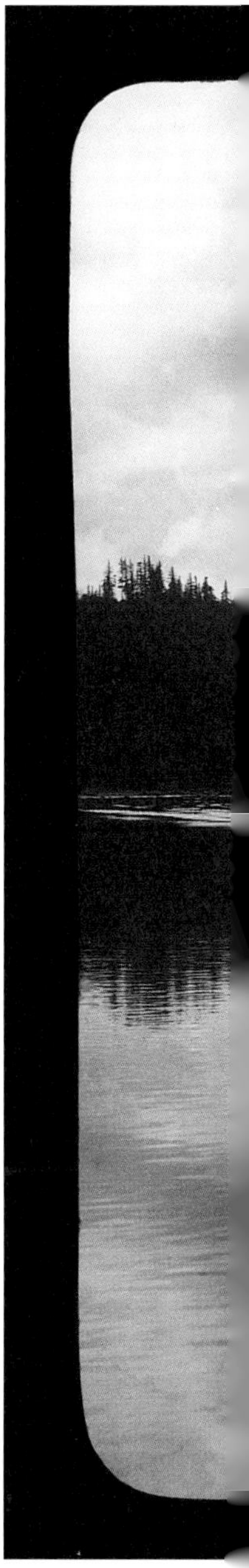

汽車にはあらゆる設備が備わっている。食堂車、風景を眺めるためのパノラマ車両、夜になると寝台に変わる座席。しかし寝台はカーテンで仕切られるだけで、ワルデマールはこれに不満を持ったようだ。「カーテンの陰で服を脱ぎ、小さなネットに服をしまい、雑音の中で眠るのは快適とはいえない。一つの洗面台を十人が共同で使うので、朝は洗面所の前にパジャマ姿の行列ができる」

汽車が遅れたり、合図なしに出発したりする不都合はこらえた。対向列車を通過させるため、草原の真ん中で停車することもあった。これをよい機会に、乗客は足の疲れを癒そうと外に出るのだが、汽車から離れ過ぎると災難に見舞われることになる。「ある日、注意を怠った婦人を置いて、汽車が出発してしまった。婦人は必死に汽車を追いかけ、私たちは彼女の腕をつかんで引き上げた。もう少しでその婦人は原っぱの中に置き去りにされるところだった」

そんな出来事を繰り返しながら、汽車は西海岸のオレゴン州ポートランドに到着した。彼はここでしばらく休息を取り、夜明けのコロンビア川に浮かぶ船を眺めるなどしてくつろいだ。日本から流れる暖流、黒潮のおかげで気候は温和で、ポートランドは「バラの町」と呼ばれている。ワルデマールはこの町で博覧会を訪れ、初めて日本美術と出会った。磁器に魅せられ、次に訪れる日本に向けての下準備として窯元の名前を控えた。

オレゴン州からは東のアイダホ州に入り、ツインフォールズの滝を見物した。ここで開発された新しい技術を見学するためだ。旅の友は典型的なアメリカ人の御者だった。

ショショーニ川にあるツインフォールズ滝の上流にダムが建設されることを新聞で読んだ。その水が周辺の草原をうるおし、これまで不毛だった広大な地域は麦畑に変身する。それを狙って、一儲《ひともう》けしようとする欲深な連中がここに殺到していた。周辺の土地の値段は日ごとに吊り上がり、手から手へと転売されていた。ツインフォールズと名づけられた町も建設された。この町は鉄道の駅から三、四時間かかり、四頭のラバが引

ポートランドをあとに、ワルデマールは伝説の西部へと向かった。

く古びた馬車が町と駅を往復していた。馬車には窓がなく、扉の上部から光が射し込むだけで空気もよどんでいる。そこで私は御者の隣に座って景色を楽しむことにした。御者は噛みタバコの愛好者で、ときおり轅《ながえ》の先端をめがけ、驚くほどの正確さで茶色に染まった唾を飛ばす。

ズボンの右ポケットにピストル、左ポケットに噛みタバコを入れる習慣があることは聞いていた。ポケットには香りを保つために適切な温度と湿度があるからだ。ときおり、御者はいくらか興奮しながら左ポケットを探り、どれくらい噛みタバコが残っているのか確かめた。アメリカではこの種の嗜好品は隣人と分け合う習慣があることを思い出した。申し出を断れば、ひどい侮辱を与えることになる。

また、毒殺の意思がないことをしめすため、持ち主が味見をすることになっていた。私は御者の口と髭を注意深く観察した。不衛生で手入れされていないことは明らかだ。御者がタバコを口に入れ、歯で噛み切り、私に湿ったタバコを手渡すことを考えただけで身震いした。そのとき、とっさに一つの案が浮かんだ。

私はいろいろな食べ物を足元に置いていたので、御者が左手をポケットに近づけるのを見るや、その一つをひっつかんで口の中に詰め込んだ。と同時に御者がくるりと私の方を向き、自分の歯でちぎった湿ったタバコを差し出す。私は満杯の口を、力一杯に動かしてみせた。そしてわざとらしく肩をすくめ、彼のプレゼントを受け取れる状態にないことを伝えた。彼はあきれたように私を見つめ、そっぽを向いた。悪意とは受

け取らず、親交を結ぶチャンスに水を差されたと感じたらしい。その後の道中は冷ややかな雰囲気が続いた。

帰りも同じ場所に座り、今度は御者の粗野な表現を観察した。途中で馬が用をたすため馬を止めた。しかし馬が何もしないので、御者は怒りだし、「お前らの代わりに、俺が小便するわけにいかないんだぜ」と怒鳴ると、憤慨したまま馬車を出発させた。

ダム見学が長引いたため、ワルデマールはツインフォールズの町に泊まることにした。ホテルを探していると「酒場《サルーン》」という看板がかかった奇妙な店に案内された。中に入ると、靴に拍車をつけ、腰にピストルをさげた大勢のカウボーイに囲まれ、背広姿の彼はじろじろと見つめられた。宿の主人は階段で寝ることを提案したが、最終的に宿主の寝室を借りることができた。ワルデマールは粗暴なアメリカ西部の世界に、第一歩を踏み入れたのだ。西部劇に出てくるような惨事はまぬかれることはできたが、「大胆で軽率なことをした」とあとで振り返っている。

西部劇の舞台のような町も訪れた。

U S

人気のない渓谷、カウボーイ、嚙みタバコを愛好する御者。ワルデマールは子供時代に思い描いた世界を体験することになった。これは郵便馬車。

次はイエローストーン国立公園を見学するため、さらに西部の奥深くへと分け入った。汽車で同席したアメリカ人の家族は四六時中ガムを噛んでいて、食事の時間になるとそれを窓の縁に貼りつける。食事を終えるとガムを剝がし、再び噛み始める。ワルデマールはその姿に仰天した。道中ハンフリーという同じ年ごろの男性と知り合い、ワルデマールとしてはまれなことにワイオミング州までの旅を共にすることにした。

目的地に着くとハンフリーはホテルを探しに、ワルデマールは乗合馬車を予約しに出かけた。すると驚いたことに、二人の予約はすでに入っていると窓口で言われるではないか。この早手まわしの謎は彼が老年になってから解かれることになる。イエローストーンに向かう馬車には「外見はさほど美しくないが」とワルデマールが形容する、六人の若くて快活なアメリカ女性が乗り合わせていた。

インディアンのクロウ族とブラックフット族しか住んでいないこの地域を、一八〇六年に調査したジョン・コルターは「硫黄《いおう》と熱に満ちた場所」だと報告している。ワルデマールは「広大な土地には森や不思議な形をした岩が点在し、間欠泉から煮えたぎった地下水が噴き上げる」と回想している。しかしこの簡素なコメントとは裏腹に、イエローストーンはワルデマールに強い印象を与えた。

ワルデマールが描いていたイエローストーンのイメージは当時のドイツの人気作家、カール・マイの冒険小説で得たものだ。カール・マイは、白人のオールド・シャッターハントとアパッチ族のヴィネトゥを主人公に、アメリカ西部を舞台にした多くの作品を残した。しかし彼は一度もアメリカに足を踏み入れたことはなく、ガイドブックや研究書を参考にして書いていた。にもかかわらず、ワルデマールは自分が少年時代に読んだものと同じ風景を発見して驚いた。

ワルデマールとハンフリーは汽車で見かけた女性たちと馬車に乗り、イエローストーンに向かった。ワルデマールは次第に女性たちと打ち解けるようになる。一行は六十五分ごとに噴き出す有名なオールド・フェイスフルなどの間欠泉、熱水に泥や鉱物が混ざって色づいた泥水が湧き出るファウンテン・ペイント・ポットと名づけられたクレーター（この泥は家の壁を塗るのに使われる）、火山ガラスでできた黒曜石の絶壁、イエローストーンの名前の由来ともなった黄色の岩など、多くの名所を巡った。巨大な湖や美しい滝もある。多種多様な動植物。いつ現れるか油断のならない

イエロ－ストーン公園の間欠泉、オールド・フェイスフルは65分おきに噴き出す。

熊もいる。この美しい光景に魅了され「日が暮れるまで写真を撮り続けた」とイエローストーンでの日々を思い出している。

美しい自然が彼の心に作用を及ぼしたのか、あのワルデマールが社交的な人間に変身しつつあった。一九世紀のドイツ人探検家フンボルトは「人間が災いを持ち込まない限り、世界は完璧な姿をしめす」という言葉を残している。ワルデマールのお気に入りの言葉だが、ここではハンフリーと釣りに行き、大きなマスを五匹も釣り上げ、熱い石の上で焼いた。「アメリカ人は釣りを好むようだが、このスポーツは魚にとっては決して気分のよいものでないに違いない」と感想を綴っているが、このごちそうは女性たちを大いに喜ばせた。グループ行動も終わりに近づき、彼はほっとしたかもしれない。カナダのロッキー山脈へ向かう彼女たちは、またあとから合流するようにとワルデマールを誘った。彼はこの誘いに礼儀正しく応じることにした。再び自由の身となったワルデマールはポートランドの北にあるシアトルにおもむく。馬車に乗って荒野を移動しているとき、彼は一人の男と出会った。

ラバを休ませるために三十分ほど休憩を取っていると、六十がらみの男が近づいてきた。彼は馬具を外し、ラバの周りを飛ぶハエを追いやりながら水や食料を与えた。あとでラバを馬車につなぐのを手伝ったのもこの男だ。この近くに住んでいるのだろう。私は何もすることがなかったので、御者台に座っていた。私は背広を着ており、こんな服装をしている人は珍しいことから、私がヨーロッパ人だと判断したらしい。男は私に英語で話しかけ、のっけからドイツ人かと尋ねた。そうだと答えると、彼は英語で話し続けた。話によると彼はドイツ人で、父親は西プロイセンで高校の校長をしていたという。実直な家庭に育ったにもかかわらず、青年時代に人の道を外し、ドイツ人の妻とアメリカに移住することになった。現在は三十分ほど川を下った所に住み、金《きん》を探しながら生計を立てている。二十年間、祖国から便りを受けておらず、故郷への想いを募らせていた。ドイツの様子を聞かせてくれないかと、彼は私に頼んだ。彼らの小屋に寝床を用意し、質素ながら食事も提供するという。もちろん彼らの家は客を迎えるようにできてはいないだろう。

その男から怪しげな印象は受けなかったのだが、予定を急に変更するのは気が進まなかった。すでにその晩の夜汽車を予約していたし、その先数日間の予定は決まっていた。それに人里離れた場所で、見ず知らずの人間と一夜を過ごすのは軽率な行為であるようにも思えた。

当時のアメリカにはあらゆる種類の冒険家や犯罪者がたむろしていた。もし川辺の小屋で私が危険な目にあったとしても、誰も私に同情してくれないだろう。それどころか、いとも簡単にだまされたものだと笑いの種になってしまう。

そんなことを思い巡らせたあげく、旅を中断するのは無理だとその男に伝えた。人の願いを断るとき、私はいつも良心の呵責を感じる。この場合も例外でなかった。老人は無言の非難を込めた悲しいまなざしで私を見送った。

警戒が過ぎたため、私は正直な老人の申し出を断ってしまったのだ。そのことを思い出すと、今でも心が痛む。身勝手な推測によって、隣人への愛という、人間にとって最も大切なことをなおざりにしてしまったのだ。

「私は通俗性を嫌い、そこから距離を置く」。孤独を好んだローマ時代の詩人、ホラティウスが残したこの言葉をワルデマールは好んで引用した。しかし、好むと好まざるとにかかわらず、さまざまな出会いの結果、彼は次第に感受性の豊かな人間へと変わっていった。以前の自分が社会的な拘束にがんじがらめにされていたことに気づき、自らを解き放とうと努力するようになった。これは旅を通して学んだことだ。

アメリカ北西部のシアトルを訪れたあと、再びカナダに入る。ビクトリア、バンクーバーを巡り、ロッキー山脈を訪れ「これ以上に美しい所はない」と思うほど素晴らしい風景を堪能する。高い山の山腹、深くえぐれた谷に沿って汽車は走り、眼下には太平洋の眺めが広がる。彼は我を忘れてその眺望に見入った。

周囲の山々にも足をのばした。アグネス湖からレディ・マクドナルド山を眺め、雪に覆われた山が水面に映る風景を撮影した。グレイシャー公園では約束どおりアメリカ女性たちと落ち合った。この再会を記念するため、ワルデマールはシャンパンを用意した。数日間一緒に行動し、ルイーズ湖ではボートレースを楽しんだ。当初、よそよそしい態度を見せていたワルデマールだったが、「彼女たちの思いやりを受け、元気づけられ、英語を教えてもらった」と振り返る。

ワルデマール（左のハンチング帽の男性）、ハンフリー、そしてイエローストーンを一緒に巡ったアメリカ女性たち。彼女たちとはカナダで再会する。晩年にはその１人と手紙を交わすようになった。

ワルデマールはロッキー山脈の美しさに魅せられた。

ここで金を探しながら生計を立てていたドイツ人移民の老人の招待は断ってしまった。

時おり汽車は停車するが、出
発に遅れてはならない。

カナディアン・ロッキーで見つけたスウェーデン式の酒場。

AT ALL HOURS
GRAHAM.S
MEALS. 25 Ct
LODGING
25 AND 35

類のないほど素晴らしい風景を堪能した。

女性たちは東へ、ワルデマールは西へと進み、別れ際に名刺を交換した。記念にプラリネ入りのチョコレートを贈り、ドイツの風習に従って手に接吻をしようとした。すると、アメリカではこれは求婚を意味する行為なので、接吻したのに結婚しなかったら訴える権利もあるのだと教えられた。もちろん、彼女たちはこの文化的な違いを面白がっているだけで、接吻しても訴えることはしないとワルデマールを安心させた。ワルデマールは法律の専門家として、六人もの女性に接吻するからには、求婚は無効になるはずだと、冗談を返した。

それから五十年後、八十二歳になったワルデマールが回想録の執筆に取りかかったとき、六人の女性のうちの三人、プーク姉妹に手紙を出してみた。するとワルデマールとほぼ同い年の長女から返事が届いた。彼女はワルデマールのことをよく覚えており、自分は未婚を通し、何回も船旅をしながら人生を楽しんだと書き送ってきた。

そして五十年前、ワルデマールが馬車の切符を買おうとしたとき、すでに予約がなされていた謎を明かした。実は汽車に乗っていたときに、ワルデマールとハンフリーの会話を耳にした女性たちが、「世界旅行をしているドイツの方から多くのことを学べると思い、私たちのグループにお招きすることにしたのです」と打ち明けたのだ。

それから二人は定期的に手紙を交わすようになった。晩年を迎えた二人は世界のこと、その移り変わり、流れた年月のことなどを語り合った。「時が流れ、老境に至ったのちに、昔の友人と連絡を取り合うことは、とても奇妙な気分にさせる。この友情は私が経験した最も深いものの一つである」とワルデマールは感慨深げに記している。

一九〇五年の旅に戻ろう。青年ワルデマールはもっと多くの世界を見てまわりたいと願っていた。アメリカ女性と結婚して落ち着くなど思いもよらないことだ。ロサンゼルスとサンタバーバラを巡ると、次はアリゾナに向けて出発した。

すでに一〇月になっていた。グランドキャニオンを訪れ、その巨大なスケールと豊かな色彩に驚き、「世界で最も素晴らしい光景の一つ」だと絶賛する。コロラド川に連なる道を歩きまわり、谷底ではカウボーイと行き交う。ワルデマールはインディアンの村を訪ねようと、ニューメキシコ準州のサンタフェに向かった。リオ・グランデ川のほとりにある宿に泊まり、そこで二十歳前後のプエブロ・インディアンの青年と知り合う。しかし「トマホークを手に歩いているわけでもなく、頭皮を剝ぐナイフを持っているわけでもない。服装も普通のアメリカ人と同じ」であることに気づき、自分が思い描いていたインディアンの紋切り型のイメージを修正した。カール・マイの小説で得た知識も、割り引いて受け取るようになった。

ワルデマールはこのインディアンの青年を非常に気に入った。彼の案内でインディアンの村を訪ね、家々の写真を撮っていると、住民から料金を要求されることもあり、断ると相手は苛立ちの表情を隠さなかった。観光が住民の心を荒廃させ始めていたのだ。しかしワルデマールは身の危険を感じていなかった。インディアンの青年は大きなピストルを持っているし、自分も小さなブローニング社のピストルを持っている。それにプエブロ人が外国人を襲うことなどありそうもなかった。

ワルデマールはこの青年をドイツの自宅で使用人として雇うことを思いついた。異国趣味が彼にそう思わせたのではない。この青年が「ほどよくアメリカ化していて、気持ちのよい青年」だったからだ。彼は帰国したら渡航費用を送ると申し出た。もしドイツが気に入らなかったら、帰るのは自由だし、帰国の費用も負担すると付け加えた。ワルデマールによれば「当時の渡航費はそれほど高くなかった」のだそうだ。しかし彼は考え直す。「彼がドイツの社会にとけ込むのは非常に難しいだろうし、きっと幸せになれないだろう。そう思ってこの青年と再び連絡を取ることはあきらめた」。ワルデマールの一時の思いつきだったとしても、このエピソードからは、旅を通じて彼の心が次第に束縛から解き放たれていく様子が見てとれる。

サンタフェをあとにして、コロラド州のデンバーに向かった。非行青少年を更生させる自由なメソッドを提唱したことで話題になっていた、ベン・リンゼー判事と面会するのが目的だ。彼は小柄ながら頑丈な体つきで、目をきらきらと輝かせた魅力的な人物だった。彼の方法はワルデマールがニューヨークで見学したのと同様、非行少年を開かれた施設で保護することだった。いくらか小遣いを持たせ、監視人なしで施設に送り込む。途中で脱走する少年はいないのかとワルデマールが尋ねると、一人もいないと判事は答えた。その答えにワルデマールは非常に驚いた。

右
1905年10月にグランドキャニオンを訪れ、その美しさに見入る。

P90、91
巨大なスケールと豊かな色彩のただなかに身を置いた。

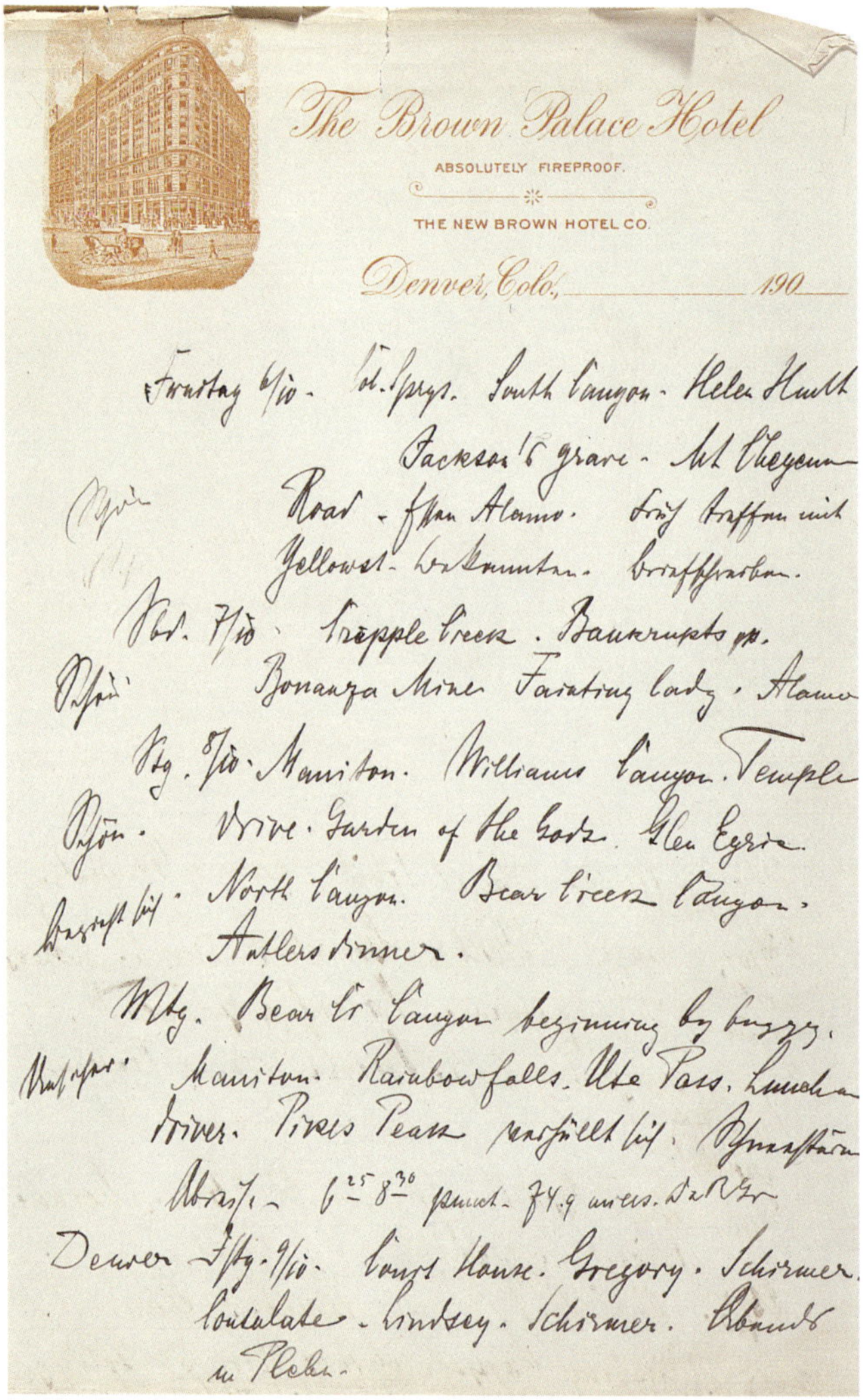


Freitag 6/10. Col. Sprgs. South Canyon. Helen Hunt Jackson's grave. Mt Cheyenne Road. [illegible] Alamo. [illegible] Yellowst. [illegible]

Sbd. 7/10. Cripple Creek. Bankrupts [illegible]. Bonanza Mine. [illegible] lady. Alamo

Stg. 8/10. Manitou. Williams Canyon. Temple Drive. Garden of the Gods. Glen Eyrie. North Canyon. Bear Creek Canyon. Antlers dinner.

Mtg. Bear Cr Canyon beginning by buggy. Manitou. Rainbow falls. Ute Pass. Lunch [illegible] driver. Pikes Peak [illegible]

Abreise [illegible] $6^{25}$ $8^{30}$ [illegible]

Denver Dstg. 9/10. [illegible] House. Gregory. Schirmer. [illegible] Lindsey. Schirmer. Abends [illegible]

アメリカでの最終滞在地となるサンフランシスコに到着。ドイツを去ってから半年近くたっていた。

フランスの古城を真似てつくられた幻想的なクリフハウス・ホテル。1906年の大地震では被災をまぬかれたが、その翌年に火災で全焼する。

そろそろアメリカ最後の大都市、サンフランシスコに向かうときが近づいてきた。一九〇五年一一月二日に到着、高層建築のホテル・フランシスの十階の部屋に宿泊する。アメリカを去る日が近づいていたので、彼はできるだけ多くを見物することにした。その一つがクリフハウス・ホテルだ。一八六三年、海辺に建てられたこのホテルは一八九四年に火災で全焼し、その後フランスの古城を真似たスタイルで再建された。幽霊屋敷のような怪しげな雰囲気の建物を、ドレスや背広姿の観光客は離れた浜辺から見物していた。

サンフランシスコはすでに当時、国際色豊かな都市で、世界で最も早い時期にチャイナタウンができた。一八四九年にはカリフォルニアに五十四人の中国人が住んでいたが、一八五一年の終わりにその数は四千人に膨れ上がっていた。翌年、中国の広東省で太平天国の乱をはじめとする動乱が頻発すると、それから逃れて二万人がアメリカ西海岸に渡った。一八六〇年には四万一千人以上の中国人が移住していた。しかし、通説とは逆にアメリカ人（すなわちアメリカ人となったヨーロッパ人）は彼らを快く迎えなかった。

危険な場所だとされながらもチャイナタウンは観光名所となっていて、ツアーにも組み込まれていた。団体行動が苦手なワルデマールは個人のガイドを雇ってチャイナタウンを訪れた。ガイドはノックもせずに中国人移民が住むアパートに押し入ったが、中国人は無礼な扱いに慣れていて平気な顔をしている。ワルデマールはこの行動をおおいに恥じた。彼の機嫌を直そうと、ガイドは中国人の売春宿に連れて行こうとしたが、かえってワルデマールを激怒させることになった。

アメリカを去る直前になって、新天地の底辺で暮らす人々の過酷な様子を目撃することになったが、ワルデマールはこの旅でつちかった思いやりの精神を忘れることはなかった。そしてヨセミテ公園に向かおうとしたとき、もう一つのアメリカの裏の顔を見ることになる。

ヨセミテへ行く汽車について調べるため、サザン・パシフィック鉄道の事務所に行った。しかし観光シーズンが終わっていたので、確かな情報を得ることができなかった。がっかりして事務所を出て、窓に飾ってあったヨセミテ渓谷の写真を眺めていた。するときちんとした身なりの紳士が近づいてきて、ヨセミテ行き

の汽車はまだあるか、と私に尋ねた。仕事で急用ができたので、一刻も早く行かなくてはならないらしい。

知らないと答えると「支配人の事務所に行って、なんとか手配してもらうしかない。紹介状を持っているから、どうにかなるだろう」と言った。私が立ち去ろうとすると呼びとめ、同行しないかと誘った。見ず知らずの人の好意に甘えるのは気が引けたので辞退したが、結局支配人の事務所に行くことになった。

ドアには支配人の名刺が貼ってあった。中に入ると三人の男がいた。支配人は外出中だがすぐに戻るというので、私たちは待つことにした。少しすると、男の一人が苛立った様子で電話をかけ、いつ支配人が戻るのか尋ねた。十五分で戻るとのことだった。男たちはテーブルに移りトランプ・ゲームを始めた。

やがて男の一人が大喜びして二十ドル札を頭上に振りかざし、ゲームに加わるよう私たちを誘った。マイヤーと名乗る私の連れは、テーブルに近づき、男たちの肩越しにゲームのいきさつを眺め始めた。戻ってくると我々も加わろうではないかと提案したが、私は断った。この時点で私は詐欺師に捕まったことをはっきり理解し、その場を去る手だてを考え始めた。

マイヤー氏はテーブルについて、十ドル儲けた。再び私を誘ったが、私はより強い口調で断った。すると彼は「君と話しているあいだに十ドルも損をしてしまったではないか。その埋め合わせのために参加すべきだ」と訴えた。私はさらに苛立った口調で「私の知ったことではない」と告げ、その場を去ることにした。ドアの取っ手をまわそうとすると、なんと鍵がかけられているではないか。

マイヤー氏の態度は急変し、三人の男たちは立ち上がってすごんでみせた。深刻な事態になった。私は武器を持っておらず、身につけているのは写真機だけだ。とっさに「直ちにこのドアを開けろ」という言葉が飛び出た。鋭い語気に驚いたのか、男の一人が鍵を開けた。このような罠にはめられてしまったことを恥ずかしく思い、持ち物を返せとも言わずに立ち去った。

あとになってアメリカ人と話をしているとき、サンフランシスコではこの種の詐欺事件が横行していることを知った。当時、サンフランシスコには世界旅行中の旅行者が集まり、その多くはヨーロッパの東から旅を始めていたので、彼らにとってサンフランシスコは最初に訪れるアメリカの都市だった。経験不足の旅行者が多いので、ギャングにとって格好の稼ぎ場だったのだ。

セミテ公園で最後のアメリカを目に焼きつけた。

最終的に、ワルデマールはヨセミテ渓谷に行くことができ、そのシンボルである巨大な木々、湖、山などを堪能した。

サンフランシスコに戻ると、ワルデマールは自分を騙そうとしたペテン師どもを挑発するほどのしたたかさを見せた。いかにも旅行者然としたなりをして町を歩いて、両替を持ちかけられるのを待ち、人気のない狭い路地に連れて行かれると「僕をそんなに簡単に騙せると思うのか」と相手をたじろがせては面白がった。この遊びはいささか危険をともなうものだったが、自分がチンピラたちに勝ることをしめして、誇らしく思うのだった。

臆病で人嫌いだったワルデマールは鍛え上げられ、社交的になった。アメリカで過ごした半年のあいだに彼は大きく変身をとげた。アジアへ出発する用意は整った。彼はサンフランシスコに最後の一瞥を投げかける。その数カ月後、大地震がサンフランシスコを襲い、町がほぼ壊滅状態になる運命にあることは、知るよしもなかった。

# 太平洋

## 宙に浮いた時間

L'océan Pacifique

1905年11月16日。モンゴリア号はハワイへ向けてサンフランシスコを出港した。

ワイデマールは楽園のような
風景に魅せられた。

一九〇五年一一月一六日、ワルデマールはアメリカ大陸をあとにした。これから太平洋を横断する航海が始まる。「太平洋」という名前は、一五二〇年にマゼランがチリとアルゼンチン沖のティエラ・デル・フエゴからフィリピンに向けて航海したとき、海があまりにも穏やかだったので付けられた名前だ。

次の目的地ハワイに向けて六日間、四千キロの旅が始まった。ハワイは一八九八年にアメリカ合衆国に併合されたので、厳密に言えばアメリカを去ったわけではない。一九五九年にはアメリカ合衆国の州の一つになる。ワルデマールはアメリカが所有する二隻の大型旅客船の一つ、モンゴリア号に揺られ、ゆっくりとアジアへ近づいて行った。

初めて二人の客と同室することになり、不都合を感じたようだ。「船室には洗面台が一つしかない。中国人の使用人にタオルを別々にかけるよう何度も注意したのに、隣り合わせにかけてしまう」。ワルデマールの人嫌いは完治していないようだ。しかし「同室の一人が船酔いにかかり、残りの二人には試練だった」とユーモアを交えて語ったりもしている。一一月二二日、船はホノルルに到着し、ワルデマールもほっとしたことだろう。

ホテル・モアナで数日過ごしたあと、馬に乗ってオアフ島見物に出た。しかし、あまりにもアメリカ化されているので「長く滞在する価値はない」と判断した。ハワイは火山で有名で、現地人の崇拝の対象でもある。ワルデマールは火山を見たかった。それにハワイ島には驚くような光景を見ることができる場所があるらしい。

ホノルルのあちこちで、溶岩が波を打って岸辺に押し寄せている湖のポスターを見かけた。これにちなんだ絵葉書や土産品も多く売っていた。その溶岩湖、ハレマウマウはハワイ島にある。私はぜひ、その湖を見たいと思い、ハワイ島に向かった。

ハワイ島に渡る小さな蒸気船は牛などの動物で一杯だった。船はマウナロア火山の溶岩が海へと流れ込む岸辺に沿って進んだ。夕方、ハワイ島に到着し、馬車に乗って溶岩湖の近くにあるホテル・ボルケイノに向

ワルデマールは馬に乗ってハワイを探索した。

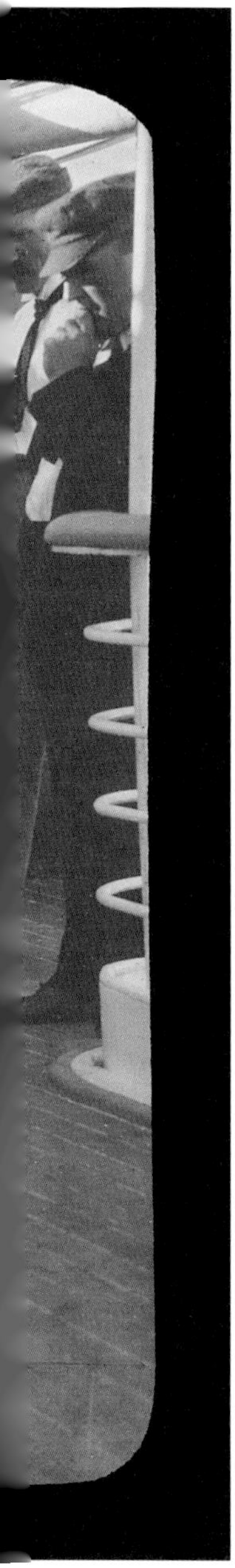

かった。

　ホテルに到着するとガイドを雇い、すぐにハレマウマウへの案内を頼んだ。ガイドは昼間でも十分に見学できると、夜に出かけるのをあきらめさせようとした。しかし私はなんとしても、闇の中で溶岩が放つまばゆい光を見たかったのだ。

　カンテラの明かりを頼りに、英語がまったく通じない現地人のガイドと共に出発した。カンテラの明かりがゆらゆらと揺れる中、時にはガイドが行く先を手探りしながら、三十分ほど歩いた。

　すると急にガイドが足を止め、先を進もうとしない。周りには黒い溶岩以外、何もない。私は「炎の湖」が見たいのだと彼に説明しようとしたが、彼は「ここだ」と身振りで私に告げるだけだ。先に進むよう促したが無駄だった。道を引き返すしかなかった。

　ホテルに戻り、溶岩湖を見ることができなくてがっかりしたと文句を言った。すると、溶岩湖は十年前に埋まってしまい、かつて湖だった深い穴からは、かすかな煙が昇るだけだと説明された。私が見たかった光景は過去のものとなっていたのだ。


　ワルデマールはハワイ島のヒロからマウイ島に渡った。マウイ島では有名なハレアカラ火山に登ることができ、多くの写真を撮った。ハレアカラは現地の言葉で「太陽の家」を意味する。太陽の動きを遅らせるため、半神半人のマウイがここに太陽を閉じ込めたという伝説からこの名前がついた。ヤシの木陰にある伝統的な家、コバルト色の波が打ち寄せる白い砂浜、砂浜に引き上げられた丸木舟などを眺めて、ホノルルに戻った。

　素晴らしい景色を堪能し、休息も取れた。しかし、ハワイはアメリカの影響が濃く、ワルデマールの期待に十分に応える場所ではなかった。彼は刺激を求めていた。ハワイは一カ月の滞在で切り上げ、先に進むことにした。

　ホノルル港ではイギリスの船会社、ホワイト・スター社が所有するドリック号が待機していた。この会社が所有する船の名前はすべて「ク」で終わる。数年後に難破したタイタニック号もこの会社の花形だった。皮肉なことにドリック号は一九三九年にドイツの軍艦、グラーフ・シュピー号に撃沈される。

ハワイで1カ月休養したあと、ドリック号に乗って日本に向かう。10日間の船旅となる。

一二月一六日、ドリック号に乗船して太平洋横断の後半の航海に出た。大西洋と異なり、天気のいい日、海は深い青色の輝きを放つ。しかし横浜に到着するまでの十一日間の天候は不順で、嵐もあり高波にもまれたこともあった。このような時、アジア人の乗組員や数人の客の反応を見て、自分は故郷からずいぶん遠く離れた所に来たのだなと、実感がこみ上げてきた。

　しばらくすると、日付変更線を越えた。私たちは西に向かっていたので、一日飛ばすことになる。一二月一九日の夜に床につき、二一日の朝に目覚め、人生の一日を失うという奇妙な感覚を味わった。東へ進む場合は、一週間は七日ではなく八日になる。これも不思議な気持ちにさせることだろう。

　初めて家族と遠く離れてクリスマスを過ごした。ドイツでは二四日の夜にクリスマスを祝うが、この船ではイギリスの伝統に従うので、二四日の夜は何の祝い事もない。誰もいない甲板でデッキチェアに座り、海を見つめながら故郷のことを想って過ごした。

　翌日になってやっとお祝いが始まった。朝食後、たまたま乗船していたイギリスの牧師が指揮を取り、礼拝が行われた。それから夜まで、船のオーケストラがクリスマスの楽曲を演奏した。イギリスの習慣に従ってサロンにはヤドリギが吊るされた。

　夕方の六時にディナーが始まった。船会社は気前よく全員の客にシャンパンを一本ずつ贈ったが、誰もがシャンパンを追加注文するので損をしないのだろう。

　最後の数日間、海はかつてないほど荒れ狂い、船は慎重に進んだ。しかし蒸気船の三本のマストに帆が張られるという珍しい光景を見ることができた。そしてどうにか無事に横浜に到着した。

　一二月末、ワルデマールはアジアの玄関口となる横浜に上陸した。ドイツを出発してからかれこれ七カ月の月日が流れていた。彼は旅の地図の新しいページをめくり、そこに自分の足跡を描き込む用意をした。

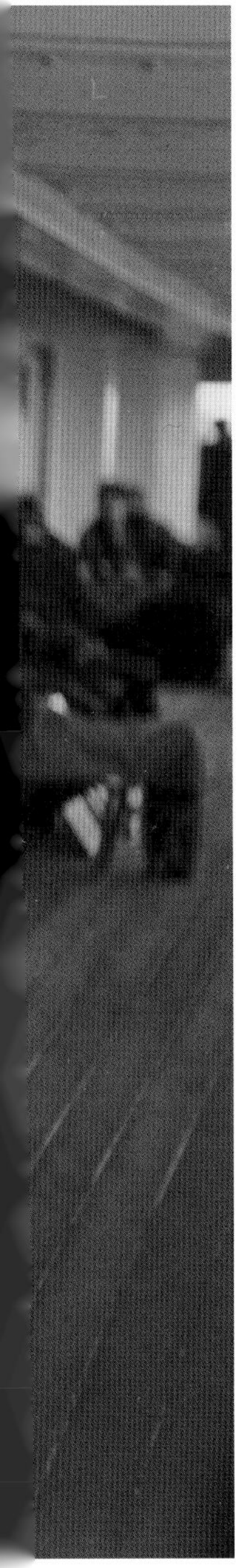

デッキでの読書も数少ない娯楽の１つ。

# 極東

## 不思議に満ちた世界

L'Extrême-Orient

右
ワルデマールは日本の美しさのとりこになった。

ガイドであり親友となったナカノ。

横浜港には一人の男が出迎えに来ていた。ニューヨークで会ったドイツ人に紹介されたガイド、ナカノスケトシだ。ナカノはワルデマールが船を降りるやいなや、彼を人力車に乗せ、横浜の町へと繰り出した。

路地からは世間話に花を咲かせる人々のにぎわいが伝わり、大通りでは着物姿の女性や西洋風の背広を着た紳士たちが行き交う。ついにワルデマールはヨーロッパ人が夢想する、アジアの果ての国に到着したのだ。過去と現在が混在するこの国で、ワルデマールは四カ月を過ごすことになる。次から次へと日本の美に出会い、衝撃を受けながらも「すべてが不思議な国」日本をおおいに気に入るようになった。

ワルデマールが日本に到着した一九〇五年、明治時代は最盛期を迎えていた。一八六八年に明治天皇睦仁《むつひと》が即位し、日本の門戸を開いて外国の影響下に身をさらす決意を固めた。その端緒は、一八五三年にアメリカから来航したペリー提督の砲艦外交によってもたらされたものだが、天皇自身、日本がこれ以上鎖国政策を維持できないことをはっきりと認識していた。「日出ずる国」は近代国家として生まれ変わっていく。将軍を頂点にした階級制度は廃止され、侍に代わるものとして、明治天皇はドイツを手本にした近代的軍隊と兵役制度を導入し、西洋の銃とフランス式の軍服で装備された兵隊を配置した。一八八九年には憲法が制定され、天皇の神聖な地位を保ちつつも、政権は選挙で選ばれた二つの議院に委ねられた。

そして、日本はヨーロッパやアメリカと同様に帝国主義の道を歩み始めていた。一八九四年には中国

（清）を攻撃し、賠償として台湾を手に入れ、朝鮮支配に向けての自由裁量権を手にした。一九〇四年には、ロシアに対してめざましい戦いぶりをしめし、陸と海の両方で軍事的勝利を収める。その結果、日本は樺太《からふと》（サハリン島）の南部と旅順を手に入れ、朝鮮と満州南部を保護領とした。つい数十年前まで国を閉ざし、まったく無名の国だった日本は、国際シーンに華々しいデビューを飾ったのだ。

　ワルデマールが日本に到着したときは、日露戦争後のポーツマス条約が調印された直後だった。仲介したルーズベルト大統領は和平交渉へ貢献したことで、翌年、ノーベル平和賞を受賞することになる。「日本人のあいだにはまだ戦争の後遺症が残っていた」とワルデマールは述べている。まれにスパイの嫌疑をかけられたこともあったようだが、紛れもなく、日本の滞在は彼の旅の中でも最も強い印象を残し、生涯忘れがたい思い出となるのだ。

　東京ではワルデマールを悩ませるものがあった。在日ドイツ大使、アルコバレー伯爵の存在だ。退屈していた大使は、外国から船が到着するたびに乗客のリストを調べ上げていた。上級公務員であるワルデマールの名前を見つけると、さっそく大使館に招待した。高い教養を身につけたワルデマールは格好の暇つぶしの相手となっただろう。何かにつけ大使館に彼を呼び出し、決して離そうとしないのだった。

大使館の朝食会は旧式の儀礼に従って進んだ。つま

東京の風景。

り、次々に皿が運ばれてくるのだ。アルコバレー大使はあまり口にせず、絶え間なく私に質問を浴びせた。私が返事をしているあいだに彼は食べ終えているので、給仕人は皿を下げてしまう。彼は私が非行青年の更正に携わっていたことを知っており、自分も協力できると力説した。

ある日、例の朝食会に呼ばれると、驚くことに日本の法務省の役人が同席していた。私が裁判の専門家であるなどと誤った情報を大使が告げたため、新設された刑務所を見学するはめになってしまった。私はドイツの刑務所について何の知識もなく、日本の施設に関してもまったく興味がわかなかった。

法務省の役人は通訳を引き連れて現れ、私たちは刑務所に向かった。刑務所では正装した職員の長い行列を後ろに従えて、私たちは施設を次々に案内された。ある場所では着くなり、オルガンによるドイツ国歌の演奏が始まった。その調べに合わせて歌う以外に、お礼に何をするべきなのか考えた。答えは明白だ。日本の国歌を演奏してもらうことだ。日本国歌の演奏が終わると大きな会議室に案内された。

そこでは壁に沿っておびただしい数の椅子《いす》が並び、職員たちが座っていた。部屋の中心には小さな丸いテーブルと一脚の椅子、そしてテーブルに置かれた皿には巨大なビフテキがのっていた。一流のレストランで提供されるものの四倍もの大きさだった。この光栄なるもてなしを断るなど、とてもできないことだった。

当時日本では、ビフテキはヨーロッパ人に対する最高級のもてなしだと信じられていた。直立不動の役人と通訳の脇で、私はこの巨大なビフテキを食べ始めた。幸い私はまだ若く、食欲は旺盛で胃も丈夫だったので、さほど苦労せずに食べることができた。この儀式に時間をかけては失礼にあたる、と同時に一口噛んでは会話を続ける必要にも迫られ、それがさらに状況を複雑にした。私は刑務所の規模、平均収容人数、職員の数、女性はいるのかなど質問した。

最後に施設の所蔵品が披露された。美しい昔の刀などが博物館のように保管されていた。記念品として私は勲章を贈呈された。今も、旅の思い出を語るとき、この勲章を人に見せる。

和室の簡素さに心惹かれた。

九州で知り合った２人の芸者。17歳のコダマサン（左）と15歳のヨボキチ。

ナカノの手ほどきで日本料理
に親しむ。

日本は旅のなかでも最も深い
印象を与えた国となった。

日本ではさまざまな様式の芸
術に接した。

東京で見たおいらん道中。

ワルデマールはあらゆる言い訳を考えて大使を避けた。翌日から朝鮮に出発すると嘘をついたこともあったが、次の朝、ワルデマールが東京見物に出かけようとすると、ホテルの外では大使が待ち構えていた。そして、何事もなかったかのように「朝食を一緒にしよう」と誘うのだった。

もしかしたら、彼のおかげでワルデマールは東京を出て、地方をまわる機会が増えたのかもしれない。ナカノも貴重なガイドだった。彼は高い教養を身につけ、英語とドイツ語を完璧に操る。しかし庶民の出である彼は、家族を養うために学問をあきらめざるを得なかった。ナカノは常に沈着冷静で、ワルデマールは彼を真の友とみなし、彼のおかげで日本に対する理解が深まった。

ヨーロッパでジャポニスムの熱がわき起こってから数年がたっており、ロダン、モネ、ゴッホは歌麿、北斎、広重が描く浮世絵に夢中になった。ワルデマールもナカノに日本美術の手ほどきを受け、あらゆるジャンルに興味を持った。美術への関心はおそらく弟のヴィリーの影響だろう。

ナカノがいなければ、観光客相手の業者が扱う作品で満足していたに違いない。漆芸、貫入のある磁器や素朴な陶器（これらはロダンにインスピレーションを与えた）、青銅器、日本刀、絹本、象牙の彫刻などを次々と見てまわる。ワルデマールは「所持金のことなど忘れるほど、買い込みたい衝動に駆られた」と当時を振り返っている。普段は分別のあるワルデマールだが、日本美術を目の前にすると、理性を失いそうになった。しかしナカノが彼に助言を与え、自制を促してくれた。

美術品を買うだけでなく、日本での「友」となったナカノに連れられて、制作の現場も見学した。京都では七宝焼《しっぽうや》きの大家、並河靖之を訪れた。助手たちの就労時間は定められておらず、一日休んでもいいし、十二時間続けて働くのも自由だと聞いてワルデマールは驚いた。「自分がやりたいように仕事をしなければ、よい作品は生まれない」と大家は言う。ワルデマールは金筋入りの小さな香炉を買うことにした。しかし、持ち合わせが足りなかったので、取り置いてほしいと頼んだ。すると並河はあと払いでもかまわないと、ワルデマールに香炉を渡した。実はその数日後にイギリスの貴族が訪問することになっており、もしその貴族も同じ香炉が気に入ったら売らないわけにはいかず、ワルデマールとの約束を守れなくなってしまう

やさしい心遣いを見せるワルデマール。日本で出会った人々に対する彼の愛情を表す写真だ。

からだ。

作家と接してその人となりを知ったことで、彼の日本美術に対する情熱はさらに増した。ワルデマールの二十年前に日本を訪れたフランスの小説家ピエール・ロティは以下の言葉を残している。「美術品や工芸品を見たり買ったりしているうちに、食べることも飲むことも忘れてしまった」。きっとワルデマールもこの言葉を思い出しただろう。

ロティと異なるのは、ワルデマールは日本の食べ物や飲み物にも関心を寄せたことだ。最初は刺身を警戒していたが次第に好物となり、特に燗酒は「一気に体にまわり、華やいだ気分にさせる」と称賛した。茶道の精神にも興味を持った。都会では西洋風のホテルに泊まることが多かったが、「この上なく清潔で異国情緒にあふれ、細かい心遣いが行き届いた旅館」の方を好んだ。

当時、日本のほとんどの家屋は木造で、室内は掛け軸や生け花だけで飾られていた。ワルデマールはその簡素さに心を奪われた。生け花は「多くの花を生けるのではなく、一本だけ選び小枝と組み合わせる。自然で優雅な組み合わせの中で、花は感動的なほどに際立つ」と印象を語っている。日本では日常のすみずみまで芸術が行き渡り、社会をうるおしていることに深い感銘を受けた。それに加え、きれい好きなワルデマールは「頭からつま先まで熱い湯で洗う」日本人の清潔さが気に入った。

ある日、ナカノに連れられて銭湯に行った。その前にレストランで食事をしながら、日本式の入浴法の説明を受けた。まず使用人に体を洗わせてから、全員が共同で浸《つ》かる湯船に入るとのことだ。銭湯に着くと男女が一緒に入浴しているではないか。私は服を脱ぎ洗い場に入った。若い女中がやって来て桶にお湯を用意し、私の背中と足を洗い始めた。洗い終えても去る様子がないので、前を向くべきなのだと察した。女中は少し躊躇しながらも、私の前面を洗った。

その数日後、ナカノは笑いながら女中の感想を伝えた。初めて外国人を担当し、しかもその高貴な外国人が前面を洗うことをも許したことに感動したというの

常にナカノの案内で日本を巡った。

だ。私もこれを聞いて笑った。人を喜ばせようと意識しなくても、喜ばせることができるのだと実感した。

しかし、その後もワルデマールの慎み深さは去らず、混浴銭湯に行くことは頑なに拒んだ。

反対に遊女や芸者には解放的な態度を見せている。遊女と芸者は異なることも知った。東京の遊廓地、吉原では一日中、遊女たちが格子窓の向こうに座り、通行人と会話する。家族を養うために娘を売ることが多いのだが、これを日本人は疑問に思わないことに驚いた。おいらん道中では高価な絹の着物をまとい、かんざしを挿し、歯を黒く塗った、美しく位の高い遊女たちが吉原の町を練り歩き、大人も子供もこの優雅な行列を見物しに来る。外国の宣教師の働きかけによって、次第にこの伝統は非合法となっていくのだが。

芸者に関しては「エロチシズムを感じさせない女優や歌手のようだ」と感想を残している。芸者も少女時代に買われ、芸を教え込まれる。そして踊りや歌、または会話で男たちを楽しませるのだ。

九州の別府を訪れたとき、悪天候のためワルデマールは足止めを食うはめになった。そこでワルデマールは十七歳の芸者「コダマサン」と十五歳の舞妓「ヨボキチ」を席に呼んだ。彼女たちはワルデマールのために踊り、演奏し、食事の世話をした。「五日間はあまりにも早く過ぎてしまった」と回想している。ワルデマールにとってこの若い二人の芸者と過ごした日々が最も楽しい思い出となった。

ワルデマールは都会を離れて田舎を巡るのを好んだ。

ワルデマールは二人の写真を数多く撮り、晩年になってからもよく思い起こした。「彼女たちは優雅な物腰をしているので、ポーズにいちいち注文をつけなくても、また、どの角度から撮影しても素晴らしい写真が出来上がった。二人の芸者の写真は私にとってこの上なく貴重なものだ。どのように時を過ごしたのかはっきりと覚えてはいないのだが、彼女たちのおかげで楽しく、陽気な日々を過ごした。老境を迎えた今、これらの写真を眺めると不思議な気持ちになる。写真の中の彼女たちは永遠に若いのだが、実際には、六十歳か七十歳になっているはずだ」

　ワルデマールは山、湖、川など自然の景色にも目を向けた。その中でも特に富士山に感動し、多くの写真を残した。それらを見ると、浮世絵の巨匠たちが描いた富士山と、ワルデマールが撮影した富士山が奇妙に響き合っていることに気づく。ワルデマールが日本と日本人に寄せた強い共感が写真に息吹を与え、浮世絵と写真のあいだに掛け橋を作ったかのようだ。確かに日本は「すべてが不思議な国」だった。ワルデマールの滞在は春の訪れとともに終わる。ちょうど桜が咲き、日本中の人々が花見に出かける季節だ。そのさまはまるで四月にサンフランシスコで起きた大地震の犠牲者を悼んでいるかのようだった。

看板も珍しく映った。

川の風景。

昔ながらの川沿いの村。

富士山の写真を何枚も撮影している。

ワルデマールの写真は浮世絵
の世界に近い印象を与える。

1906年春。日本が桜の季節を
迎えたころ、ワルデマールの
日本滞在が終わった。

　ワルデマールは下関から船に乗り、対馬島の沖を横切って朝鮮へ渡った。わずか一年前、ロシア艦隊と日本軍連合艦隊の戦闘が繰り広げられ、日本軍が圧勝した海域だ。その結果、一九〇五年一一月以来、日本は朝鮮を保護領とし、軍事、外交、治安、貨幣制度、通信網を支配することになった。

　この時点で朝鮮は日本の属国となったといえるだろう。そして一九一〇年には完全に併合され、日本が第二次世界大戦で敗北するまで日本の領土となった。朝鮮は歴史の中で常に苦難を背負ってきた国だ。数世紀にわたって中国の監督下に置かれたが、自給自足体制を保ったおかげで文化的統一を守ることができた。その結果、西洋諸国は朝鮮を「隠者の国」と呼ぶことがあった。

　ワルデマールは朝鮮に十日ほどしか滞在せず、国民や風習について多く知る機会がなかったようだ。「礼儀正しいが、受身で押し黙った人たち」と印象を書いている。おそらく彼の心には「愛想がよく、生き生きとした」日本人の印象が強く残っていたのだろう。精神的にも、時間的にも、ワルデマールには朝鮮の魅力を十分に発見するゆとりがなかったのかもしれない。また、朝鮮が日本の支配を受け、植民地に近い状況にあったことも、彼の印象を左右したのかもしれない。

　ワルデマールは朝鮮に関する文章をあまり書いていない。しかし日本で買ったパノラマカメラを使って、高い山々、その一部を飾る長い壁や古い寺など雄大な風景の写真を残している。それらを見ると、当時の朝鮮は時間が停止しているかのような印象を受ける。廃墟を背に、つばの広い帽子をかぶり白い衣装をまとってポーズを取る男たちは、祖国の崩壊のただ中に立ちすくんでいたのだ。

ワルデマールはガイドとカメラのポーターの写真を撮るため、藪に入った。あやうく蛇に咬まれるところだった。

ワルデマールが朝鮮に到着したのは、拡張主義を掲げる日本の保護領となった数カ月後のことだ。

日本で買ったパノラマカメラを使って、生気を失った国の姿を記録した。

長く続く要塞、点在する村々など美しい風景を堪能したが、心を閉ざし沈黙を守る国民の姿に驚かされた。

首都ソウルに入る四大門の１
つで、西に位置していた。

敦義門

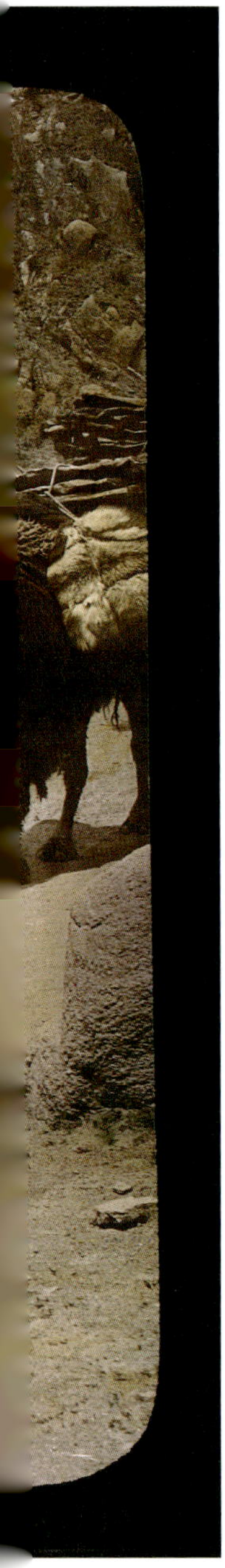

朝鮮から船で天津に到着し、そこからワルデマールは中国を発見する旅に出た。しかし、当時の中国にはかつての栄光の姿はない。農民蜂起の広がりや結社の勢力の増大によって、清朝政府の力は衰えていた。

アヘン戦争後、西洋列強は中国に不平等条約を強い、租界で治外法権を得るなど理不尽な圧力をかけるようになっていた。秘密結社の一つ義和団は、キリスト教宣教師をはじめとする外国人に対して反感を募らせていた。当時実権を握っていたのは皇帝、光緒《こうしょ》帝の伯母にあたる西太后だった。西太后は改革に反対し、西洋に対する反発をあおり、一九〇〇年の春に起きた義和団の乱を支持した。

義和団は北京で外国公使館を襲い、日本公使館書記の杉山彬とドイツ公使ケットラーが殺害されたことで紛争は頂点に達した。それを鎮圧するために八カ国連合軍が派遣され（ドイツ、オーストリア・ハンガリー、アメリカ、フランス、イタリア、日本、イギリス、ロシア）、二万人近くに上る兵を動員して血なまぐさい弾圧が行われた。軍を指揮したのはドイツ人、ヴァルダーゼーだった。一九〇〇年八月に反乱が制圧されるまで、二百人の外国人宣教師と三万二千人のキリスト教に改宗した中国人が義和団の犠牲となった。

西太后の企みは失敗に終わり、穏健派に道が開かれた。諸外国の特権はさらに強化された。一九〇八年、西太后と光緒帝が死去し、わずか二歳十カ月の溥儀《ふぎ》が即位した。一九一二年に中国が共和国になるまでの「ラスト・エンペラー」だ。

しかし、ワルデマールが北京に到着した一九〇六年の時点では、中国の情勢は揺らぎ始めたばかりだ。ワルデマールは当時、最高級のグランドホテル・ワゴン・リに宿泊した。ここでも衛生にこだわり、特に体を洗う設備が整っていないことを気にした。「日本とは対照的に、当時の中国には衛生に関する観念が行き届いていなかった」と回想し、食事の風景をこのように描いている。「中国人は私のために料理を取り分けてくれるのだが、その際、自分の口に入れた箸を使う。ドイツでは考えられないことで、決して食欲をそそる方法ではない。しかし旅人として現地の習慣に従うのがあたり前だし、現地の人の気持ちを損ねては失礼だ。彼らは肉に付いている骨をしゃぶり、そのあ

短い朝鮮滞在のあと、中国に向けて出発した。

北京の門の１つ。

と、窓から放り投げる。外を歩いている人にあたってしまうのではないかと心配になった。中国流の食事が気に入ったとは言えないが、彼らの習慣に関する知識を得るのは有意義なことだ」。旅を始めて一年がたっており、ワルデマールの順応性は増していた。

ワルデマールは馬に乗って北京の町を探索し、巨大な城壁、城砦の塔、宮殿、外国公使館がある界隈などを巡った。しかし、一九〇〇年に起きた事件はまだ中国人の記憶に新しく、彼の姿を見ると女性たちが逃げ去ることもあった。ヨーロッパが引き起こした悲しい結果だと彼は受け取った。「不幸なことにヨーロッパ諸国は義和団鎮圧を戦争ととらえ、中国人を捕まえて暴力を振るった。それだけでなく、将校たちも寺院の宝物を略奪する行為に加わった。各国の行いについて、北京の大使館員はこのように話した。ドイツ人は堂々と欲しいものを要求し、イギリス人は黙って宝を略奪した。フランス人は貴重なものがありそうな場所に押しかけ、武器をちらつかせながら、品物を提供してくれれば大いに感謝すると脅した」

天津から北京に向けて乗った汽車で出会ったオーストリア人旅行者の勧めで、万里の長城を見物することにした。万里の長城までの四日間の馬旅は発見と恐怖に満ちたものとなった。

それはとても暑い日だった。馬を休め、水を与えるため私たちは小さな村で休憩することにした。私たちの世話をする召使の少年が一軒の家に入り、バケツを

借りてきた。バケツを道沿いの溝に突っ込み、どろりとした不潔極まりない水を汲《く》み上げた。それを馬に飲ませたあと、私も何か飲みたいかと、しぐさで尋ねた。おいしい中国茶が飲めるのだと期待して、うなずいた。すると驚いたことに、少年はバケツを再び溝に入れるではないか。私は急いで「いらない」とジェスチャーで伝えた。

道中、急に砂嵐に見舞われた。顔に砂がたたきつけ、眼鏡をかけていたにもかかわらず目を開けていられないほどだったが、子馬は落ち着いて歩み続けた。一時間後に嵐は静まり、子馬が迷うことなく道を進んだことがわかった。中国のポニーは程よい大きさで足は速く、乗り心地もいい。

その日は飲まず食わずで旅をし、夜になって、ようやくある寺院に着いた。召使の少年は馬を休ませる場所を探した。一番位の高い僧侶が数人のお坊さんを引き連れて、丁寧にお辞儀しながら私を迎えた。「食べるものはありますか」と身振りで尋ねたが、僧侶は申し訳なさそうな顔で、何もないと返事をした。喉が渇いていることを伝えると、お茶を持ってきてくれた。それは今までに飲んだ中で最もおいしいお茶だった。

その晩は多くの仏像や供物が並ぶ広い本堂の隅で寝

紫禁城の城壁の中。

ることになった。暑かったので布団はいらなかった。上着を丸めて枕にして横になった。当時、私は若かったし、疲れを癒すためならどのような場所でも眠る用意があった。暗闇の中で目をつぶった。しばらくすると、自分はあらゆる文明から遠く離れた場所にいて、おまけに祖国と敵対関係にある国にいることに気づいた。周りとはまったく言葉が通じない。私はピストルを脇に置くと、いくらか安心して眠りについた。

ブツブツささやく男たちの声がして、急に目が覚めた。私は不安に駆られた。この神聖な場所で私が眠っていることが冒瀆的な行為で、彼らはそのことに怒っているのだろうか。私は密かに消されてしまうのではないかと、身の危険を感じた。

声が近づき、入口の外でほのかな明かりが灯されたのがわかった。そして百人近くの人が押し合いへし合いしながら堂内に侵入してきた。決定的な瞬間がやってきたのだと私は悟った。ピストルに六発の弾が入っていても、どうにもならない状況だ。

しかし幸いなことに、群集は私の脇を通り過ぎて仏壇に向かい、声をあげて祈り始めたのだ。祈りの声は止んだと思うと再び始まる。やがて儀式は終了し、人々は本堂を去った。危険の心配などまったくなかったのだ。翌朝、私は宿泊のお礼にお金を渡し、僧侶は繰り返しお辞儀をしながら私を見送った。

ワルデマールは万里の長城のふもとにある張家口の町に到着した。長城がうねりながら、山々に沿ってはるか彼方まで続く光景に感動した。長い連なりに区切り目をつけるかのように、一定の間隔を置いて、監視塔が点在する。彼は夢中になってパノラマカメラで撮影した。かつて子供時代に「万里の長城は実際には存在せず、中国が他の世界とは隔絶した国であることの象徴だ」と地理の先生から教わったことを思い出して微笑む。二〇世紀初頭、万里の長城は外の世界に扉を開き始めた中国のシンボルとなっていた。

万里の長城だけでなく、中国では何によらず、そのスケールの大きさに圧倒された。「通りすがりの旅行者にとって、世界史に偉大な影響を与えた広大な国について述べるのは難しい。その文化遺産、都市、川や山、砂漠、ここで見たすべてのもの、経験したことのすべてが並外れて大きいのだ」

万里の長城を見学に出かける。

張家口から万里の長城を望む。

「万里の長城は実際には存在しない」と幼いワルデマールに教えた先生のことを思い出した。

万里の長城は、中国がいかに他の世界とは異なるかをしめすシンボルだと考えられていたのだ。

漢口で見かけた知識階級の男性。

北京をあとにして、汽車で長江のほとりにある漢口に向かう。ワルデマールは人々がひしめくこの町で、自分が唯一の西洋人であることに気づいて興奮を覚えた。「腕を伸ばすと両側の壁がさわれるくらい狭い裏路地」を歩きまわる。しかし用心のため、ポケットにはピストルを常に忍ばせている。漢口は中国の北部と南部を結ぶ拠点であり、長江のほとりに位置して東西を結ぶ地点でもある。

　中国で最も長い川、長江はチベットを源流とし、上海で東シナ海へそそぐ。「この川と比べたら、ライン川は小川にすぎない」とその雄大さに目を見張る。ワルデマールはイギリスの蒸気船に乗って三日間の船旅をすることにした。ここには地元の船だけでなく、外国と行き来する大型船も通り、おびただしい量の交通があることに驚く。川岸に近いところは流れが緩やかで、扇形をした華奢な帆船が石炭を運び、天秤を担ぐクーリーが荷降ろしをする。川の中央では波が高く、大きな貨物船に交じって砲艦の姿も見える。中国を征服しようとする外国の勢力が無言でその存在を誇示しているのだ。

　西洋と東洋が奇妙にとけ合い、極東の真珠と呼ばれる上海に到着する。アヘン戦争後に結ばれた南京条約によって、上海は開港されていた。イギリスが中国にアヘンを撒《ま》き散らした結果、多くの国民が中毒になり、経済は打撃を受け、国は大混乱に陥ったのだった。一九三〇年代になると、黄浦江《こうほこう》に沿ってアールデコ調の建物が並び、資本主義の勝利を象徴する町となる。そののちにはナチスに追われたユダヤ人にとって

ない。

最後の逃げ場ともなる。一九〇六年の時点ではまだその変化は表れていないが、さほど遠い未来のことではない。

不思議なことに、ワルデマールは上海に長く滞在しなかった。「私のような旅行者を惹きつける魅力がさほどない」からだ。再び船に乗り、北の青島《チンタオ》に向けて出港した。この海域は黄河から運ばれた黄土によって水が黄濁しているので、黄海と名づけられた。青島がドイツの租借地となってから十年程たっていた。町はヨーロッパ式に整備され、バイエルン式の建築が立ち並ぶ。この町でワルデマールは快く迎えられた。ドイツ人医師に案内されて町を見物し、美術品を買い求める。三年前にドイツ人が製造を始めたビールも飲んだことだろう。しかしここにも長居はせず、南に向けて出発した。途中、再び上海に寄って、大事な用事をすませた。

一九〇五年四月にベルリンを出発したとき、私はアメリカ用に夏服を用意した。日本は暑い国だと思い込んでいたのだが、日本の気候はむしろ寒いくらいだった。朝鮮では寒い日と暑い日があった。中国では北京も万里の長城も国の北部に位置するため、夏でもさほど暑さに悩まされることはなかった。しかし漢口から上海に向かう途中、気温は耐えがたいほど上がり、これから熱帯の地域に入ることを考えると、その気候に適した服が足りないことに気づいた。

上海でドイツ領事館に勤めている昔の同僚と再会し、

漢口に向けて乗った汽車。17世紀以来、満州民族は男性に辮髪を強制した。

夏になると植民地風の白い麻のスーツを着用することを聞いた。彼は中国人の仕立屋の腕を買っていて、スーツを注文するよう勧めた。

翌日には香港に向けて出発するので時間がないと告げたが、彼はどうにかなると言い張り、結局、その晩に仕立屋を呼ぶことになった。仕立屋は中国語しか話せず、私は中国語がわからない。布地の見本を参考にし、身振りを交えて意見を伝え、現金を見せて代金の合意に達した。翌朝までに六着のスーツが必要だった。私は時計を差して期限を伝え、彼はうなずいた。手持ちの服の中で最も仕立てのよいスポーツ・ジャケットを見本として渡した。しかし、こんな無理な注文に応じられるのか大いに疑問だったので、香港に着いたらまた、服を注文するはめになるだろうと考えていた。

ところが次の日の早朝、仕立屋は六着のスーツを持って現れた。そのうちの三着はシンプルなものだったが、残りの三着には私が見本に渡したジャケットにあったステッチまで施されていた。このステッチは当時ベルリンで流行していた装飾で、今回のスーツには必要ないと伝えたつもりだったが、相手は理解していなかったのだ。

その仕立屋がどうやって一晩で六着のスーツを縫い上げたのか、今でも謎だ。後日、旧友に会ったとき、仕立屋が見本に渡した服にあったステッチを忠実に再現したことを伝えると、彼は驚きもせず、災難を逃れることができて幸運だったと言うのだ。見本に繕《つくろ》った箇所があると、それを白人の奇妙な趣味だと受け止め、新しい服にも同じように繕いを施すことがあると。

長江の岸に寄せられた小舟。

長江の日暮れ。対岸に仏塔が見える。

西洋の大型船の姿が見える。

上海は沼地に建設された町だ。

熱帯用の服もそろい、ワルデマールはエキスプレス・オブ・インディア号に乗って香港に向かった。そこで初めて写真を売る機会が訪れた。

香港まで乗船したアメリカの客船は大きく美しい船で、とても印象的だったので、船が接岸したあと撮影することにした。そのとき、自分が乗るすべての船の写真を撮ることを思いついた。帰国してからスライドにしようと考えたのだ。それまではブレーメンを出発した日に、沖合に出たバルバロッサ号の写真を撮っただけだった。それも曳き船に乗ってバルバロッサ号に向かう途中に撮ったものだ。

今回は小舟を借り、他の船舶に交じってドックに停泊している姿を撮影した。とてもいい写真が出来上がった。自分が乗っている小さな船から撮ったので、エキスプレス・オブ・インディア号の大きさが強調されている。

のちにホテルで船舶会社の総代理人と知り合い、自分が撮った写真を見せた。すると、彼はこの写真をとても気に入り「値段はいくらでも払うから、ぜひ売ってほしい」と言った。バーに誘われ、私たちは乾杯した。総代理人は酒を一口含むと、痰壺をめがけて吐き出してしまった。私はこの行動に驚いた。ドイツ人にとって侮辱的な行為だ。それを察したのか、彼は自分の行動について説明した。彼は毎日、何回も祝杯を上げる場面に立ち会い、そのたびに飲んでいたら仕事を続けられなくなるので、仕方なく吐き出すとのことだっ

上海の茶館。

た。それを聞いて私は安心した。

パンフレットにはたくさんの写真が掲載されているのに、なぜ私の写真がそれほど欲しいのか尋ねてみた。私の写真では船が実際の大きさの二倍に見えるので、客に印象づけるには格好の材料になるとのことだった。売り値について、考えておくと伝えた。最初の折衝はこのようにして終わった。


香港は珠江デルタの河口にあり、周辺を巡るには理想的な場所だ。まずは当時「窃盗、詐欺、賭博、売春が横行する」と評判のポルトガルの植民地マカオへ行き、そのあと大都市、広州へ足をのばした。そこでは海に浮かぶ小船をつなげて水上の村を形成し、多くの住民が生活している。少し遠くには沙面島があり、木陰にヨーロッパ風の屋敷が並ぶ。ここは外国人が安心して暮らせる場所だ。

沙面島にあるドイツ領事館で開かれた夜会で、ワルデマールはロイス公爵と名乗る貴族と知り合った。彼は西回りで世界一周旅行をしている最中だった。

ワルデマールのような旅人は、この公爵のような厄介な人物の相手を押しつけるにはうってつけだった。そして中国を去ったあとも、ワルデマールは、国家のために思いがけなく利用されることになる。


私はロイス公爵と一緒に香港に戻ることになった。珠江を航海しているあいだ、彼は自分の切手のコレクションについて話し続けたが、私にはまったく興味がもてなかった。話題を変えるため、これからどこに向かうのか公爵に尋ねた。上海に行くが、まだ船を予約しておらず、香港に戻ったら問い合わせるつもりだと答えた。

このとき、私はまだ例の写真の代金について、船舶会社に返事をしていないことを思い出し、同時に貴族に恩を売る絶好のチャンスだと思いついた。ロイス公爵には、船は込んでいて、かなり前から個室を予約していなければ他人と同室せざるを得ない場合があるが、自分は船舶会社に知り合いがいるので、次の便で個室を予約できるよう取り計らうと伝えた。その便は私が撮影した船のはずだ。

香港に戻ると船舶会社の総代理人と会い、ドイツ人の貴族が乗船したら会社の宣伝に役立つのではないか、と相談を持ちかけた。「それは素晴らしい話だ。寝室と

居間、使用人用の寝室、荷物用の部屋をすぐに手配しましょう」と即座に答えが返ってきた。しかし公爵はお忍び旅行をしているので、一人用の船室で十分だと伝えると、総代理人はひどくがっかりした様子を見せたが、公爵のために個室を確保すると約束してくれた。

珍しい写真機に向かってポーズを取る上海の人。

広州を流れる珠江、水上の村
で暮らす人々。

「獅子の町」シンガポールは東南アジアの主要な都市国家だ。

サンスクリット語で「獅子の町」を意味するシンガポール。ここに到着したとき、ワルデマールは不安ながらも、ある決意を固めていた。一年間の休暇は終わっていたが、彼は旅を続けることにしたのだ。こんな旅をするチャンスは二度と訪れないとわかっていたからだ。ドイツ政府あてに休暇の延長を申し出る手紙を送ったが、返答はまだ届いていない。金銭面でも苦しい状態にあり、父親に送金を頼む手紙を送ったが、その返事もまだない。しかし祖国からの知らせが遅れていようと、最後の数カ月を楽しもうという気持ちに変わりはなかった。

マレー半島の最南端に位置するシンガポールは、当時イギリスの植民地だった。イギリスは海運の要衝であるマラッカ海峡を押さえ、シンガポールはマレーシア、インドネシアの島々、オーストラリアからの産物が行き交う貿易港として栄え、さまざまな民族が交じり合う「人種のるつぼ」となっていた。いずれ中国人が人口の大半を占めるようになり、六十年後には都市国家として独立することになる。

そこには多くのヨーロッパ人が住み、ワルデマールにとって窮屈で退屈な場所にすぎなかった。ジョホールに行ってスルタンの宮殿を見学するが、満足がいかない。ある日、ワルデマールは奇妙な依頼を受けることになった。

ジャワの総領事に会ったおりに、公務上の手紙を届けてくれないかと相談を持ちかけられた。数カ月前からこの任務を託す人間を捜していたのだが、信頼できる人間がまだ見つからないとのことだった。私はこの光栄なる仕事を引き受けることにした。しかし、「この機密文書が他国の手に渡ることを防ぐため、あらゆる措置を取る」と記された誓約書に署名したとき、私はある種の戦慄を覚えざるを得なかった。

オランダ王立会社の小さな蒸気機関船に乗って、ジャワのバタビア（現ジャカルタ）に向かった。機密文書は分厚く、公印で封じられていた。それをトランクの底に忍ばせ、船倉に預けた。船は危険なスンダ海峡を横手に進んだ。

ワルデマールがスンダ海峡を恐れたのも無理はない。すぐ近くにはクラカタウ火山がある。約二十年前の一八八三年、この火山が噴火したとき、かつてないほど大きな爆発音が鳴り響き、オーストラリア、ニューギニア、フィリピン、インドまで届いた。衝撃波は地球を三周し、三十メートル以上の津波がジャワ島とスマトラ島を襲った。海上にあった戦艦は内陸三メートル、海面から十メートルの高さの地点まで運ばれた。噴火の数カ月後、大気圏に放たれた噴煙のせいで、ヨーロッパでは異様な色をした夕焼けが観測された。この噴火で約四万人の命が奪われた。

この火山の近くを通過していることがワルデマールの心を動揺させたのだろうか。彼は不安に陥り、混乱し、判断力を鈍らせた。

小さな船で荒い波のあいだを航海していたことが私の不安を募らせた。特に夜になると不安でたまらなくなった。海には腹を空かせたサメがうようよしている。それに私は機密文書を運んでいる。もし船が沈没しそうになっても、その前に文書を破棄することなどできそうにない。海の中でトランクが壊れ、サメが書類を飲み込んでしまうかもしれない。そこにイギリス軍の船が通りがかり、サメを捕らえ、甲板に吊り上げ、腹を裂く。機密文書が発見されてしまう。

一晩中、このようなことを想像したあげく、翌朝、トランクから荷物を取り出したいと申し出た。午後にならないと船倉は開かないと言われ、不安の中、数時間待った。

やっとトランクから取り出した文書を、今度はワイシャツの下に隠した。そして考え続けた。もし、船が沈没したら、私と一緒に文書もサメに飲み込まれるだろう。問題はまったく解決していないことに気づいた。

そのとき、一八七〇年に起きた普仏戦争で、機密文書を運んでいたフランスの騎兵の話を思い出した。敵に包囲され、逃れられないと覚悟したとき、彼は文書をちぎって飲み込んだそうだ。しかし私の場合は無理だ。私が運んでいた文書の量を考えると、食べ終えるには数週間かかってしまう。

ワルデマールの心配をよそに、シンガポールを出港した三日後、船は無事にバタビアのタンジョンプリオク港に到着した。ワルデマールは最も上等なスーツを着て領事館に向かった。領事に機密文書を渡し、受領したことを証明するサインをもらい、やっと任務が終了した。「秘密工作員の役割を成しとげた満足感を味わった」と回想している。

ワルデマールは再び一般旅行者に戻った。そして数年前にここを訪れた兄、リヒャルトの日記を開き、ジャワ旅行の計画を立てた。所持金が少ないのでガイドを雇うことはできなかったが、彼は十四日間の滞在を堪能した。熱帯の美しく力強い風景が彼を魅了した。火山が好きなワルデマールはバンドンの近くにあるパパンダヤン山に登った。それからジャワ島南部のジョグジャカルタへ進む。ドイツ植民地行政職官に挨拶すべきなのだが、現地の舞踊見物に連れて行かれることを嫌い、彼らを避けた。ワルデマールは日本のそれを除いて、舞踊を好まない。

それよりもヒンズー教や仏教の遺跡に興味がある。プランバナン寺院、ボロブドゥール寺院を見学し、人間味にあふれた深い宗教性に心を打たれた。最後に火山性の窪地、テンガー・カルデラとセメル山を見物した。所持金が不足していたため、バリ島に渡るのは断念せざるを得なかった。ワルデマールはなんとしてもインドに行きたかったので、旅費を節約しなければならなかったのだ。

ワルデマールはシンガポールに戻り、無事に任務を終えたことを総領事に報告した。そして、再び船に乗りインドに向かった。今回は資金が底をついていたので、旅客より貨物を多く運ぶイギリスの蒸気船に乗るしかない。蟻やゴキブリだらけの船だ。送金を催促する手紙を父に送り、船がカルカッタ（現コルカタ）に到着したら返事が届いていることを祈るばかりだ。

船賃には食事代が含まれているので、その点は心配ない。飲み物の引換券もついている。ワルデマールはこれを貯めて、インドに到着後に換金することにした。所持金が乏しいので、寄港した港で降りないこともあった。マラッカ海峡を出て、最初に寄ったペナン島でもワルデマールは船に乗ったままだった。しかしアンダマン海を渡り、ビルマに到着したときは船を降り、当時の首都ラングーン（現ヤンゴン）でシュエダゴン・パゴダを見物した。町を色濃く包む宗教的な空気に感動を覚えた。それからベンガル湾を北上し、インドのカルカッタに到着する。

ここでワルデマールは気まずい思いをすることを覚悟しなければならない。まず、貯めておいた引換券を現金に換え、それからチップを期待する船員の前を通る。しかし、彼は慌てなかった。「重要な会議があるので急いでいるが、午後に戻る」と横柄な態度で言い、無事に船を降りた。

すぐに通訳を雇ったが、支払う金がないのであとで払うと約束した。荷物が多いので二頭引きの馬車を借りてドイツ領事館に向かった。ところが期待していた手紙は着いていない。事態は深刻になってきた。宿を探さなければならないし、食事もとらなければならない。通訳の宿泊費と交通費もある。そこでワルデマールは、はったりをかけることにした。「ホテルに到着すると、私は気難しい人物を装って最上級の部屋を要求した。ドアマンには馬車代を払っておくよう言いつけ、食堂では最も高い料理を注文した。このように私はまるで詐欺師のようにふるまった」

忠実にしきたりを守り、潔癖症で正直者だったワルデマールは大変身をとげたのだ。しかし、これで問題が解決したわけではない。総領事に事情を打ち明けるしかなかった。マドラスで大規模な商売を営んでいる遠戚に電報を送る費用を貸してもらい、やっと金を都合した。これで借金を返すこともできた。

ベルリンの内務省からはできるだけ早く帰国して職務に戻るよう命令を受け取ったが、ワルデマールはさほど気にしなかった。「飛行機もない時代だったので、政府の要請に応える手段は限られていた」のだ。それにこれからインドで経験することに比べたら、祖国で待ち受けている義務は取るに足らない些細なものに感じられた。

ジャワ島では踊りを見に行くより、ヒンズー教の遺跡を巡ることを好んだ。

ワルデマールはこの汽車に乗って旅をした。

カルカッタからダージリンへ向かう途中に出会った、誇りに満ちた力強いまなざし。

バラナシのガンジス川で沐浴
を行う信者たち。

ムガル帝国、アクバル帝の廟。

白い大理石で造られたタージマハル。

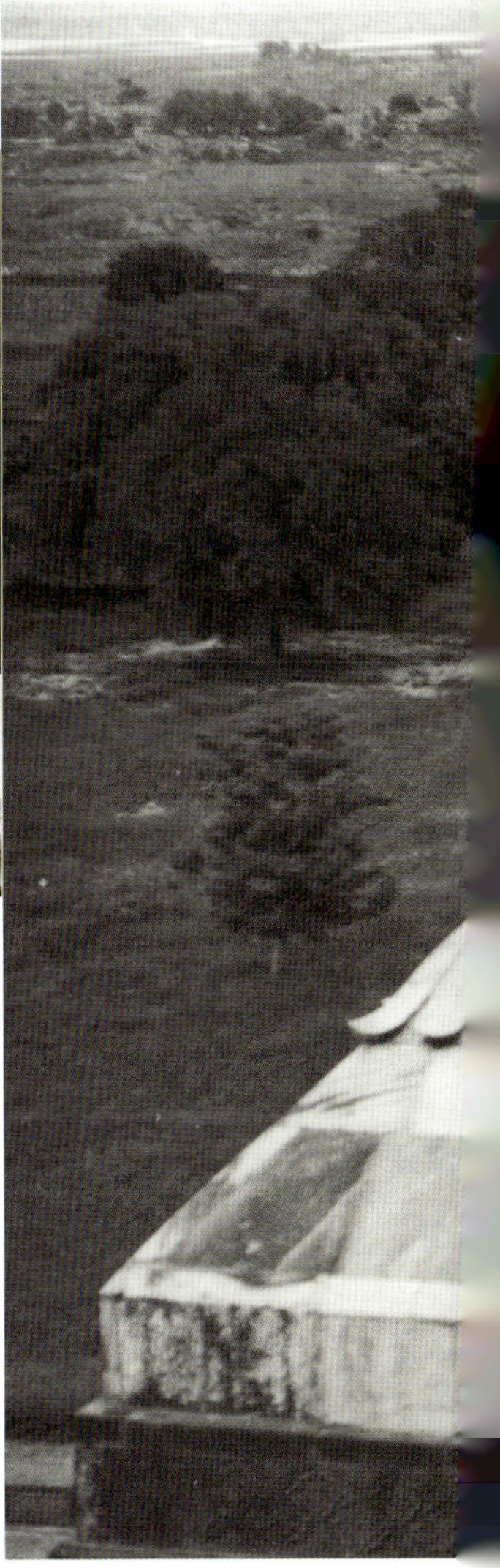

金が届くなり、ワルデマールは兄のリヒャルトから話を聞いていたヒマラヤ山脈を見るためカルカッタを出発した。インド人の召使が同行することを拒否したので一人旅だ。ダージリンのふもとから、おもちゃのようなミニ登山鉄道「トイ・トレイン」に乗ってダージリンに着いた。ヒマラヤ山脈が一望できるはずのタイガーヒルに行ったが、あいにく雨が降っていてエベレスト、ローツェ、カンチェンジュンガ、マカルーを望む絶景はあきらめざるを得なかった。

しかし、インドで見るものは他にもたくさんある。有名な観光名所をまわる余裕しかなかったが、それでも十分だ。ダージリンの隣のウッタル・プラデシュ州ではバラナシを訪れた。シヴァ神にささげられたヒンズー教の聖地だ。ガンジス川の岸辺の石畳の階段、ガートでは信者たちが沐浴《もくよく》し、死者を火葬する。

アグラではタージマハルの調和のとれた美に見とれた。ムガル帝国の皇帝シャー・ジャハーンが、十四人目の子供の出産中に産褥死した妻を悼んで建設した霊廟だ。

そしてニューデリーに向かうが、気持ちが落ち着かず、見物するゆとりがない。「長期間、仕事を休んだことの言い訳に悩み始めていた」とあとになって書いている。急いで西海岸のボンベイ（現ムンバイ）へと発《た》つ。ここには鳥葬を習慣とするゾロアスター教徒が多く住んでいる。建物や木々にはハゲワシが止まっていて、ワルデマールはその風景に身震いする。ここに数日滞在したあと、汽車に乗り南に向かった。何気なくパスポートを開くと、なんとそこに「ペストとコレ

ワルデマールはインドを東西に旅した。

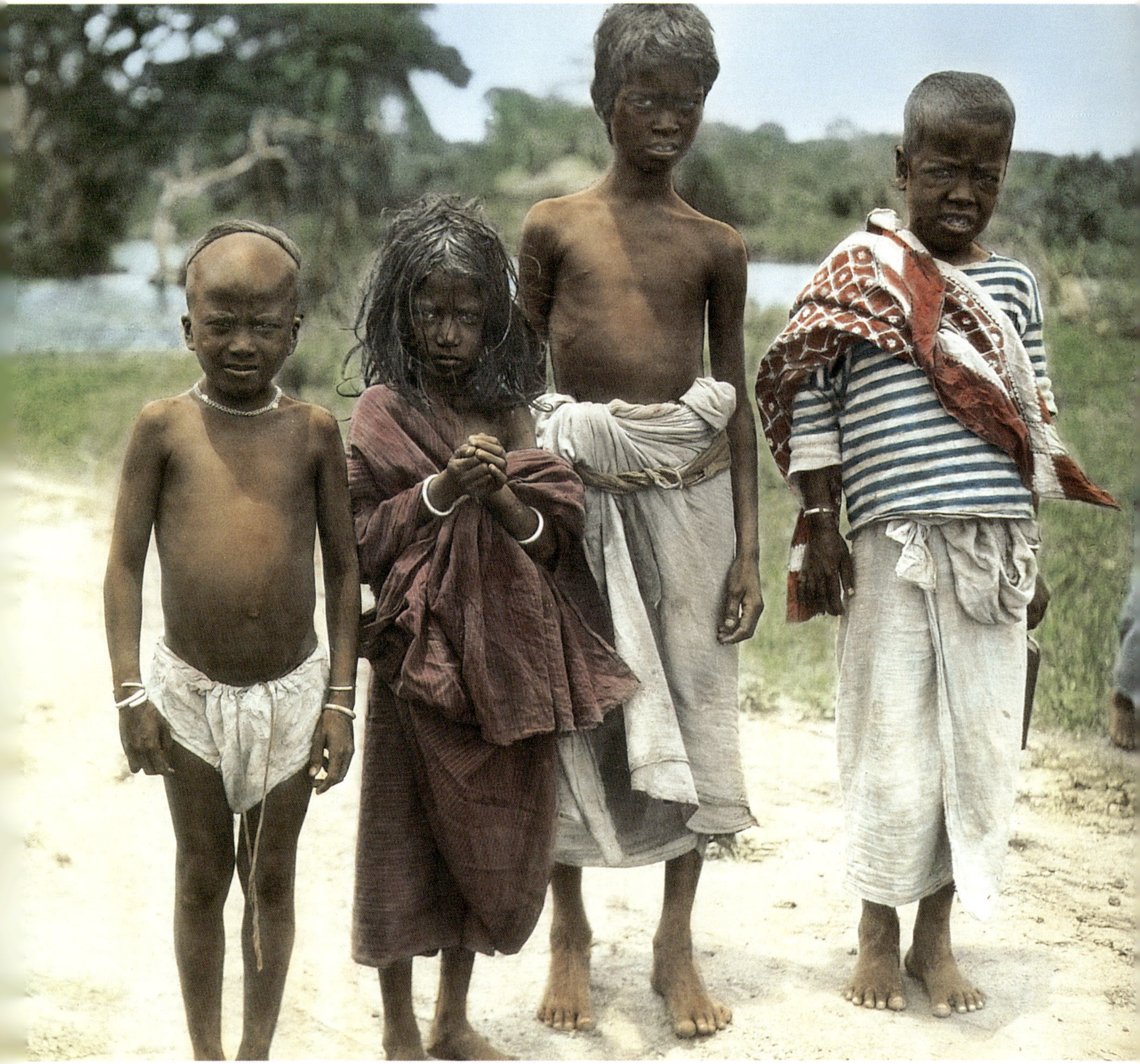

ラの疑いある人物」とスタンプが押されているのを発見した。ボンベイを出るとき、知らぬ間に役人が押したものだ。

当時、ボンベイでは疫病が猛威を振るっていたのだが、ワルデマールはそれを知らずに町を歩きまわっていた。このスタンプのせいで、汽車が駅に到着するたびに、医師に呼び出されることになった。しかし医務室に入り健康的な姿を見せると、検査を受けずに解放された。彼は実際に感染をまぬかれていた。

ツチコリンで船に乗ってセイロン（現スリランカ）に渡った。ここが実質的には旅の最後の訪問地となる。インドの旅で疲れたのか、それとも、もうじきヨーロッパに戻らなければならないことが彼の元気を奪っていたのだろうか。おまけに帰国したら「プロイセンの都市としては最も面白くない町のひとつ」と彼自身が形容する町、オペルン（現ポーランドのオポーレ）に配属される知らせを受けたばかりでもあった。

コロンボにはヨーロッパから到着したばかりの船がたくさん停泊していた。町やホテルにもヨーロッパ人の旅行者があふれていた。当然、私は彼らと接触を持つようになるのだが、どうしても彼らと、今まで旅の中で出会った人々を比較せざるを得なかった。日本では礼儀正しく、控えめで、偉大な文化をしめす簡素さを持ち合わせた人々に出会った。中国とインドでは質素で、貧しさの中にあっても多くを要求することなく暮らす人々を知った。ジャワでは息苦しいような熱帯の植物ととけ合って、花のように存在する人々がいた。それに比べ、このヨーロッパ人たちの姿のなんと不自然なことだろう。

ワルデマールは自分が親しみ、心地よく感じていた世界に、かつての仲間が不意に乱入したことが耐えられない。敬虔な信者がガンジス川で身を清めるように、ワルデマールも旅を通じてヨーロッパ人としての、富める者としての罪を洗い流し、自らの業から解放されつつあったのだろうか。

ある意味でこの旅は、彼が自分の文化から受け継いだ粗野な部分を矯正し、厳格な教育によって形作られた人格の基盤を揺るがすものとなった。同時に、無意識のうちに彼の心に根を張っていた西洋中心主義をも揺るがした。

ワルデマールは西洋から着いたばかりの人々の姿に落胆した。「彼らの騒がしい態度、気取った流行の服装、大げさで派手な帽子、けばけばしいアクセサリー、食堂での大きな話し声、これらすべてに嫌悪を覚えた」。自分が戻ろうとしている文明の姿をコロンボの町で発見し、苛立ったのだ。ニューヨークで盗まれたルビーに取って代わるものを買い求めると、すぐにコロンボを去ることにした。

その前にフロイデンブルク領事に挨拶をしにドイツ領事館を訪ねた。数年前に兄のリヒャルトが会った人物だ。しかしその後、旅行者の数は格段に増え、領事は彼らの無遠慮な要求や質問にほとほと参っている様子だった。「かつての静謐な世界は消えてしまった」と訴える領事の気持ちが彼にわからないはずはない。ワルデマールはセイロンのジャングルに身をゆだねることにした。

古都、アヌラダープラに行き、仏塔を見学した。ここで彼はイギリス人が建てた質素な施設に宿泊した。都会にいるより自然の中に身を置くことを常に好んだワルデマールは、静けさの中で、名残を惜しみながら旅の最後の日々を過ごした。「夕日を見ながら椅子で休んでいたときだ。上着を脱ぎ、肘掛けの上に腕を伸ばした。すると一匹の蚊が腕に止まり、血を吸っている姿を目にした。その蚊をたたき殺した」。しかし遅すぎた。彼の体には、すでにマラリア原虫が侵入していたのだ。

しかし彼は旅を続け、山岳地帯のヌワラエリヤへとおもむく。荷物の遅れ、降り続ける雨、問題が起きるたびにワルデマールは苛立ち始めた。病気の兆候だ。それでもホテルに到着するなり、寒い雨の中を有名な植物園に向かう。ホテルに戻ると彼は疲れ果てていた。夕食の用意ができたことを知らせにきた使用人が、熱に浮かされているワルデマールを発見する。マラリアが発症したのだ。しかし彼は自分がマラリアにかかっていることに気づいていない。それどころか、断固として旅を続けようとする。少し休養を取ると体調は戻ってきた。そこで彼は再び出発する。マラリア原虫が血管を駆け巡っていることも知らずに。小舟を借りて、原始林のさなかを流れるカル川を航行する。しかしそこでマラリアが再発した。密林の奥深く、祖国から、あらゆる文明から遠く離れた地で、彼の精神は錯乱する。高熱による苦悶と正気が交互する中、高揚しながら、魂は奥底から訴えかけていた。

一つの考えが頭を横切った。嫌気の差す文明とは完全に縁を切り、この森の中で生きることだ。その方が、正直で尊厳のある生き方ではないかと真剣に考えた。熱にうなされているときは、これこそ正しい選択で、実行可能だと思った。ホテルの支払いを済ませ、トランクを捨て、人里離れた場所に移り住む。贅沢を求めなければ、自然が与えてくれる作物で十分に生きていけるだろう。周囲にある素材を使って小屋を建てることもできる。眼鏡をなくしたら何を使って代用品を作れるかなど、いろいろなアイデアが浮かんだ。自分の身元がわかるものを残さなければ、きっと見つかることはないだろう。精神が錯乱しているときは、これが最も妥当な考えに思えた。私はそそられた。

しかし一時的に病状が回復すると、これは途方もない過ちのように思えた。親には大きな迷惑をかけるだろうし、彼らが駆けつけて来て故郷に帰るよう懇願するかもしれない。森の中で文明とは無縁の生活を確立していたなら、なおさら厄介な事態になるだろう。両親との関係を再び築くことも難しくなる。それに自然の中で一人では生活を維持するのは難しいだろうから、現地の女性を家政婦として雇わなくてはならないだろう。でも森に生きる人間としてお金はないから、支払いはどうするのか。あるいは家庭を築いている可能性もある。

マラリアの熱は一日置きにやってくる。今日熱にうなされたと思うと、翌日には熱が下がる。そのあいだは健康な状態に戻り、動きまわることができる。私は夢想に終止符を打ち、帰国する船を予約し、文明に戻る決意を固めた。

自分の文明を外の世界から観察して、その姿に嫌悪を抱き、自然に回帰することを決意した人間は少なくない。しかし私が知る限りでは、この種の試みに成功した人はいない。社会的な背景、受けた教育によって、自然の中での生活ではもはや満足できないほど、私たちは歪められている。幸せになれる可能性はほとんどないのだ。

帰国する前、セイロンでひと
時を過ごした。

病に倒れ、熱に浮かされながらもジャングルに入る。

簡素で自然な生き方と、傲慢な西洋文明の狭間でワルデマールは逡巡した。そして決断を下した。

キニーネが効いて、マラリアから回復した。しかしこの病気を経験したことで、ワルデマールは自分を旅に送り出した真の動機、自分の中に眠っていた密かな欲望を確認することになった。

しかし社会は存在し続ける。そして監視の目を光らせ、群れを離れようとする羊を連れ戻す。歴史は人間の欲望をあざ笑い、致命的な狂気へと追い立てる。二〇世紀は始まったばかりだが、この世紀を通して愚行は繰り返されることになった。旅を経験したことによって、ワルデマールはその理由をはっきりと理解したに違いない。「好むと好まざるとにかかわらず、旅は私をかつての自分とはまったく別の人間に変えた。そして誉れ高いヨーロッパが自然からかくも遠ざかり、その文明も文化もおとしめてしまったことを悟ったのだ」

# インド洋

## 憂鬱な帰国

## L'océan Indien

ブレーメンを発ってから１年半後、ワルデマールは帰路についた。ここ、アデンを過ぎると、世界一周旅行の達成は間近だ。

ブレーメンを発ったときと同じくロイド社の船に乗って、ワルデマールは帰路についた。二十日後には、一年半ぶりにヨーロッパの土を踏むことになる。

徐々にマラリアから回復し、自然に戻りたいという妄想も去った。しかし、自分の文明に対して芽生えた疑問は消えることがなかった。旅によってワルデマールは変わり、自分でもそれを意識している。彼は広い視野で世界をとらえるようになっていた。近代社会は平和で進歩しているかのように見えるが、その裏には、浅はかさ、エゴイズム、慢心、虚無、拝金主義、権力への渇望、ナショナリズムなどが潜んでいることを感じ取っていたのだ。

旅を始めたとき、彼はヨーロッパ文明が正しいという確信を持ち、その一員であることに誇りを持っていた。そして海を渡り、彼方の国々で暮らす人々と知り合うようになった。すると、彼らの本当の姿は、安っぽい民族趣味に包まれ、まるで動物でもあるかのように万国博覧会の見せ物になっていた姿とは、大きく異なることを発見したのだ。彼らが貧しくても、言葉を理解できなくても、奇妙な風習があっても、ワルデマールは彼らと心を交わすようになった。プエブロ・インディアンの青年、快活なアメリカ女性たち、別府で共に過ごした二人の若い芸者、日本の職人、友となったナカノ、北京で雇った召使の少年、バラナシにいた敬虔な信徒たち、そしてジャワで見かけた花のような人々……。船に揺られながら、ワルデマールは彼らに思いを馳せていただろう。

偶然にも、バタビアで機密文書を手渡したアントン

スエズ運河の出口に建設されたポートサイドの町、そして地中海。自らの属する文明に近づいていく。

領事がこの船に乗っていた。スパイの役を果たしことも、すでに過去の話だ。これからは新たな日常が始まる。家庭を築き、友情をはぐくみ、戦争に耐え、家族が死を迎える。徐々に、思い出は記憶の奥にしまい込まれていく。しかしそれから五十年ののちにこの旅を思い返したとき、昔の友人たちが再び現れ、かつて存在していた世界もよみがえることになるのだ。

イエメンの港、アデンに寄港した。ここには紀元前一世紀につくられた貯水池がある。まだ旅行者であることを自分に言い聞かせるかのように、ワルデマールはこの遺跡を見物しに行く。しかしどの港にもある歓楽街は避けた。再び乗船し、「世界で最も暑い場所」とされる紅海に入る。夜になると甲板に出て、やっと涼しい風にあたることができるが、それは男性だけに与えられた特権だ。男性が薄着なので、女性たちが立ち入ることは禁止されている。「このことに疑問に抱く男性は一人もいなかった」とワルデマールは憤慨しながら振り返る。

船はスエズ運河に近づいた。四十年前にこの運河が建設され、アフリカ最南端の喜望峰をまわる必要がなくなったが、ワルデマールとしては旅が数カ月のびる方が嬉しかったかもしれない。しかし、今はオペルンに向かわなくてはならない。ヴィースバーデン、ハノーバー、ヒルデスハイム、エアフルト、魅力的な町はドイツにいくらでもあるのに、よりによって自分はオペルンに配属されてしまったのだ。

苛立っても仕方ない。それよりも船が停泊しているあいだ、気晴らしにサメが泳ぐ姿を眺めていた方がま

ヨーロッパは過酷な時代を迎えることになる。

しだ。船は運河に進むが、周りは砂漠だらけでひどく退屈な時間を過ごした。やっとポートサイドに到着し、エジプトの地に足を踏み入れたことを喜ぶが、ここはならずものや詐欺師が跋扈《ばっこ》する物騒で背徳的な町で、「食事に出たロシア産のキャビアは、見栄を張るための飾りでしかなく、無駄なものだ」と落胆した。

　ワルデマールは楽しむゆとりを失っていた。気の進まない帰国なのだから、無理もない。地名もかつてのように彼の心を躍らせない。「シナ海」や「マラッカ海峡」と比べたら、「地中海」には何の夢も描けない。それに黄浦江から見た上海と比べたら、世界で最も美しい港とされるナポリすら色あせて見える。ベスビオ山はせいぜい小さな丘で、インドネシアのセメル山を見たときのような興奮を覚えない。

終点のジェノバに着いて、ワルデマールは一年半ぶりでヨーロッパに足を下ろした。以前と変わった様子はさほどなく、今もベルエポックの軽い調べに合わせて踊っているかのように見えた。ヨーロッパが破壊に向かうまで、そのリフレインは続くのだろうか。

　ジェノバから鉄道でアルプスを越え、両親が出迎えるインスブルックに向かった。翌日になれば、母は長い旅から帰ってきた息子を抱きしめるだろう。そしてワルデマールはベデカー旅行ガイドが「下車する価値のない町」と記したオペルンに向かい、仕事に戻ることになる。夜のヨーロッパを走る汽車の中で、ワルデマールは何を考えたのだろう。人々が花のように暮らす国を思い出していたのだろうか。

「安全な黄金時代」は去り、
「極端な時代」の兆しが見えてきた。

# その後の世界
Le monde d'après

アルプスを越えるとともに、世界旅行は終わりを告げた。一九〇六年の秋、ワルデマールはシュレージエン地方のオペルンで新たな生活を始めた。ここは旅立つ前の勤務地、ヴァルデンブルクからさほど遠くないし、兄のリヒャルトは今も近隣のヴロツワフ大学で教鞭をとっている。ワルデマールはこの町で十三年過ごすことになる。ヨーロッパでは長い闇の時代が始まろうとしていた。

マラリアの後遺症はまだ続いていた。一九〇七年に一家の出身地であるスイスに行って、ルツェルン湖のほとりで療養する。偶然にも、オペルンでマラリアが猛威を振るっていた。二〇世紀初頭、ヨーロッパではまだマラリアが流行することがあり、一九七〇年代に至るまでマラリアは撲滅されなかった。彼の仕事の一つはその対策を講じることだった。ベルリンの中央政府は彼の立案に非協力的で、申請した予算は却下された。しかし、この土地はヴィルヘルム二世が狩りをするために訪れる場所だと指摘すると、数日のうちに予算は下りた。

仕事は順調に進み、彼の生活にも変化が起きた。生涯独身を通すと誰もが信じていたワルデマールは一九〇七年、三十三歳で結婚する。妻オルガ・オッテンスはドイツの最北部、北海とバルト海のあいだにあるシュレースヴィヒ＝ホルシュタイン州の出身だ。のちに、夫婦はこの地方に移り住むことになる。

しかし今のところ彼らはオペルンでの生活を満喫していた。しばらくすると弟ヴィルヘルム夫妻がベルリンから移ってきた。きっと二人の兄がいなくなったベルリンでの生活に耐えられなくなったのだろう。ワルデマールの仲介でヴィルヘルムは検事総長の職につき、その後、政府高官となる。

リヒャルト、ワルデマールとヴィルヘルムは子供時代のトリオを再結成し、旅のことや写真のことを語り合った。ワルデマールの家はいつも客であふれ、子供たちの笑い声が響

独身を貫くと誰もが考えたワルデマールだったが、帰国した翌年に結婚し、家庭を築く。「その後の世界」に立ち向かう勇気をつちかった。

いた。幸せに満ちた時代だった。シュテファン・ツヴァイクは「この理性の時代においては、極端な出来事や暴動など起こりそうもなかった」と著書『昨日の世界』に書いている。事実、平穏な日々が続いた。

ドイツ、イタリア、オーストリアのあいだで三国同盟が結ばれ、これに対抗しイギリス、フランス、ロシアがサンクト・ペテルブルクで三国協商に署名した。しかし、これによって情勢が急変するとは誰も考えていなかった。

オーストリアはボスニア・ヘルツェゴビナを併合し、勢力の拡大を図る大セルビア主義の動きを牽制した。当面はロシアが圧力をかけているので、セルビアで紛争は起きないだろう。人々は平和が続くと信じたかったのだ。しかし間もなく、こうした軍事同盟や、バルカン半島での緊張の高まりは、ヨーロッパ全体を戦場へと変えていくことになるのだ。すべてが速いスピードで変化し、歴史と記憶のあいだに存在する「薄闇のゾーン」も次第に消えることになる。

一九一〇年、兄のリヒャルトは気球の事故により四十一歳の若さで死亡する。天候が悪化する中、妻と友人たちを無事に地上に降ろしたあと、彼を残した気球は急に舞い上がり、一気に墜落した。嵐の中、「進歩」の犠牲となったのだ。妻は助かったものの、悲しみに打ちひしがれて間もなく自殺する。

リヒャルトは自分のことより、常に他者に気を配る男だった。ワルデマールにとっては人生のガイドであり、庇護者であり、自分では夢に描くことさえできなかった扉を開けてくれた兄だ。もう二度と助言を受けたり、勇気づけられたりすることはない。ワルデマールは途方にくれた。

ワルデマールは政府の評定官に昇格したが、これが彼の悲しみを和らげることはなかった。好戦的な運命論者であるテオバルト・フォン・ベートマン・ホルヴェークが首相につき、「弱者が強者の餌食になるという古代からの法則は、現在も有効だ」と強者の権利を高らかに主張した。そうした空気の中、バルカン半島の平和を維持するため、ロシアとイタリアが密約を結んだというううわさが流れもしたが、いったい誰がそんなことを信じるだろうか。

幸せは長続きしないものだ。オペルンの幸せも例外ではない。ヴィルヘルムの民主主義的な思想が政府に嫌われ、彼は役職を辞し、この地を去ることになった。一九一三年に父親が他界し、ワルデマールとヴィルヘルムは葬儀で再会する。家族に悲劇が続いたのと呼応するように、ヨーロッパも苦難の時を迎えることになる。各国の軍隊は戦争突入への準備を始めていた。一九一四年六月、サラエボでフランツ・フェルディナント大公が暗殺され、七月にはパリで社会主義者のジャン・ジョレスが殺された。ツヴァイクが「安全な黄金時代」と呼んだ日々は去り、ホブズボウムが言う「極端な時代」が幕を開けた。ヨーロッパは第一次世界大戦へと突き進む。

ワルデマールはすでに四十一歳になっており、戦地に送られることはまぬかれた。妻のふるさとへ転勤を申し入れたが、受諾されなかった。この願いがかなうには、もう少し待たなければならない。一方、ヴィルヘルムは予備役の士官として東部の前線に配属された。政治的意見のせいで不利な状況に追いやられたのだろう。その後、彼はベルリンの警察局に転属した。

戦争が最終局面を迎えるなか革命が起きた。革命が戦争終結を早めたといえるかもしれない。一九一八年一〇月、水兵たちは軍の自殺的な作戦に加わることを拒絶し、反乱を起こした。一一月には水兵だけでなく、軍の兵士や労働者も蜂起に加わり、ドイツ中が騒乱に陥った。革命が急進化することを防ぐため、宰相に就任したばかりのマックス・フォン・バーデンが率いる社会民主党は、皇帝に帝位を退くよう最後通牒を突きつけた。さも

ワルデマールは、かつて旅で見た世界を忘れることはなかった。1909年に日本の美術商、林から送られたクリスマスカードなどが、彼の思い出をよみがえらせた。

なければ、最悪の事態が起こりかねないと恐れていたのだ。
「私のような帝国の公務員にとって、君主体制の崩壊は想像を超えた事態だった。皇帝の退位は大きなショックだった」とワルデマールは回想する。それだけでなく、一つの不安も生じた。「革命という言葉から、私はフランス革命を連想し、自分や家族が危険にさらされるのではないかと心配したのだ」。一九一九年二月二一日、独立社会民主党の一員であり、バイエルン革命政府首相のクルト・アイスナーが右翼団体のメンバーに暗殺された。

革命は鎮圧され、労働者や兵士からなるソビエト型の政府ではなく、ワイマール共和国が誕生した。にもかかわらずワルデマールはためらいを感じていた。「共和制という概念は馴染みが薄く、左翼的な傾向にも違和感を覚えた」。しかし彼は国家公務員として働き続けた。責任感が強いからという理由もあったが、自分が残ることによって、新体制の左翼主義者たちに歯止めをかける役割を果たせると信じたからだ。

弟のヴィルヘルムはベルリンで、警視総監エミール・アイヒホルンの下で働き続けていた。アイヒホルンは社会民主党よりさらに左翼的な党に属していた。この事実をワルデマールは知っていたが、弟が革命派に属しているという証拠はない。弟は民主主義者だから、一連の動きを寛大な目で観察しているのだろうと信じた。

兄弟のあいだに亀裂が入ったわけではない。彼らは互いを温かく見守り続けた。遠く離れて暮らしていたことが、よい結果につながったのかもしれない。ヴィルヘルムはベルリンの近くのポツダムに配属され、ワルデマールはやっと妻の故郷に転勤になった。彼はキール市の参事官となり、着実に昇進した。ワルデマール夫妻は老い始めていた。一九二四年、五十一歳になった妻は重い病気で倒れた。一九二六年には五十三歳になったワルデマールが心臓発作を起こしたが、それを乗り越え、州知事になった。しかしこの成功を手放しでは喜べなかった。狂気の時代の幕が徐々に上がり、ナチスの時代が近づいていた。

ヒトラーが首相についたことについて、ドイツびいきのフランス人政治家ジャン＝フランソワ・ポンセはこう述べている。「ドイツ野郎がドイツ人に勝ってしまった」と。ワルデマールも同感だった。ワルデマールは正統主義者であり、誇り高きドイツ人だが、ヒトラーという人間にも、その思想にも、その軍事組織にも賛同できない。ナチス政権もワルデマールに期待を寄せていなかった。一九三三年一二月、彼は強制的に退職させられた。

しかしナチスを最も恐れたのはヴィルヘルムだ。同年に彼も解任され、ドイツ国籍を奪われ、国家社会党から命を脅かされ、すべての財産をゲシュタポによって没収された。スイスに逃げ、そこで国籍を得るしか道は残されていなかった。無一文となったヴィルヘルムは、チューリヒで貧しい生活を送ることになった。ワルデマールは送金するなどして、できるだけ弟を助けた。リヒャルトの死後、弟の面倒を見るのは彼しかいないのだ。

ドイツに残ったワルデマールは自分なりの方法でナチスに抵抗した。六十歳になった今も学生組合に属していたが、ナチスがその団体に送ったアンケートに自分の「人種」を記入することを拒否した。その後、この団体を脱退した。

一九三九年にワルデマール夫妻と三人の子供はハンブルク近郊に移る。息子ヘルムートは伯父リヒャルトのあとを継いで科学者になり、化学製品会社のデグサ社の工場で働くことになったのだ。しかし、彼はナチスの強制収容所で使われるシアン化物、チクロンBを製造するために雇われたことを知っていたのだろうか。この工場はヒトラーを財政的に支持するＩＧファルベン社の子会社だった。

戦争は六年続いた。そのあいだ、ワルデマール夫妻は特に不自由なく暮らすことができ、家は窮乏した人々の避難所となった。彼らの二人の娘、インゲボルグとアンヌ・マリー、七人の孫、義理の息子の一人、アンヌ・マリーの知人とその息子、オペルンの旧州知事の娘、妻の従妹……。全体主義に陥り、何もかもがひっくり返ってしまったこの国で途方に暮れる人々を、彼は惜しまずに助けた。果たしてヘルムートは犠牲者なのだろうか、それとも協力者なのだろうか。彼はボンの近くにあるヴェッセリング工場に異動となり、その後、兵役を果たし、戦争が終わるとスイスに移住した。

戦後、ワルデマール夫妻もスイスに移り、息子とヴィルヘルムと再会した。嬉しい再会だが、そこにたどり着くには、どれほどの苦しみを味わったことか。彼はナチスとかかわりを持たなかったことが証明されたが、祖国が受けた不名誉をぬぐうことはできず、ドイツ国籍を捨ててスイス国民となった。反対にヴィルヘルムは屈辱と危険にさらされたにもかかわらず、ドイツ国籍を取り戻し、ドイツのバーデン・バーデンに移った。しかし戦時中の過酷な状況がもとで体調をくずし、一九五一年に死亡した。姉のマルガレーテの死の直後だった。

七十七歳になったワルデマールはすべての兄弟を亡くしていた。かつてティアガルテンのアパートで静かに、幸せに暮らしていた家族の中で、生き残っているのはワルデマールだけだ。リヒャルトは文明の利器のいたずらによって命を落とし、彼の奇想天外な計画や発明の数々も葬られてしまった。民主的な考えを持ち、馬とバイオリンを愛した芸術家ヴィルヘルムは戦争が残した傷によって世を去ってしまった。そして自然な、しかし悲しい運命が両親、コンラート、マルガレーテを奪った。思い出は色あせる。そして個人の運命とはかかわりなく、歴史は歩み続ける。

傷を癒すことはできるのだろうか。しかし生き続ける以外に道はない。それに「自分は外の世界を見たことがない」と妻は愛らしく訴える。もしかしたら夫をむしばむ苦悩から目を背けさせるための言葉だったのかもしれない。夫妻は旅に出ることにした。一九五二

写真の裏に押されたスタンプ。「ベルリン・W」とはかつてアベグ家があった西ベルリンを指したもの。ベルリン市の中央には壁が建ち、東と西に分断されることになった。

年、バルト海に面するリューベックから船に乗り、北海、イギリス海峡、大西洋、ビスケー湾を通って、ジブラルタル、アルジェ、アレキサンドリア、ベイルート、アンタキヤ、メルシンを巡る。船はようやく平安を取り戻した海を進む。波に揺られながら、ワルデマールは彼の中で長く眠り続けていた感覚を取り戻したに違いない。遠くにはポートサイドが見える。その先にはインド洋が広がっている。その先はマラッカ海峡、シンガポール、香港、北京、横浜が……。

彼の心からかつての旅が離れることはなかった。戦争や日々の生活が、その思い出を記憶の隅に追いやっていただけなのだ。彼はその旅を今一度、呼びさまそうとする。

ハンブルクに戻ると、ワルデマールは思い出の上に積もった埃《ほこり》を払い落とす作業にかかった。老年の孤独に包まれながら、かつて撮った百枚以上の写真を眺めた。そこには、もはや存在しない世界が写っている。彼はその世界が消え去るのを目撃してきたのだ。

五十年のあいだに起きた出来事がワルデマールの頭をよぎる。アメリカの写真を見ると、原爆のことを考えた。二人の芸者と共に過ごした別府からさほど遠くない所だ。彼女たちは原爆の被害を受けただろうか。放射能の後遺症に悩んでいないだろうか。それとも健康で、孫と一緒に過ごしているのだろうか。帰国後、ワルデマールは二人の芸者の写真をずっと、机の上に飾っていた。

ハワイの写真は真珠湾の攻撃を思い起こさせる。日本とドイツが結んだ同盟に彼の心は痛んだ。彼にとって最も近しい国だ。朝鮮の写真を見ると、戦争後、この国が分断されたことを思う。中国は共産主義になり、天安門には共産党の旗と毛沢東の写真が掲げられている。インドはイギリスの支配から平和的に解放され……。

思い出の写真は限りなく続く。しかし、美しき時代「ベルエポック」は終わり、進歩を信じる心も、平和を信じる心も砕かれた。安全で安心に生きられる世界への希望は断たれてしまった。二〇世紀初頭に存在していた夢は、爆弾やガス室にまみれて消えてしまったのだ。世界が無垢だったころの風景はもうない。

だがそれでも、自分が旅したあのころの写真を見れば、世界がまだ正気を失う前の姿を見ることができる。ワルデマールは大事に写真を分類し、回想録を書き始めた。それほど時間は残されていない。もうじき死が彼を迎えに来るだろう。

一九六一年、ちょうどソビエトがベルリンの壁を建設した年にワルデマールはこの世を去った。「東」と「西」は単に方位をしめす指標ではなく、世界を分断する象徴となった。ベルリンを二つに分けたこのシンボルは、八十八歳の老人にとっては衝撃が強すぎたに違いない。ワルデマールの回想録の翻訳を行ったエレーヌ・ロランは彼のことを「ナチスが大惨事を引き起こす前、ドイツがまだ世界に尊敬されていた時代のドイツ人」と語る。

ワルデマールは時代を駆け抜けて生きた。そして二つの名言を私たちに伝えてくれた。一つは本書の冒頭を飾るプロペルティウスの言葉、「試みるだけでも立派なことだ」。もう一つ、クルティウスの言葉で最後を締めくくることにしよう。「後ろを振り返ると、多くの過ちと怠慢に気づく。しかしそれは必要としたことを行った結果であり、私たちが自由であることをしめすものでもある」

ワルデマールはもう一度写真を眺め、眼鏡を外し、そして別れの挨拶を告げた。

## 著者紹介

写真・回想録

### ワルデマール・アベグ　Waldemar Abegg

1873年、ドイツ、ベルリンの裕福な家庭に生まれる。10代の頃から写真を趣味とする。大学で法律を学び、卒業後公務員となる。1905年に休暇をとって世界旅行に出かけ、そのときの体験を80歳を過ぎてから回想録にまとめた。ナチズムに反感を抱いていたアベグは第二次世界大戦後、ドイツ国籍を放棄した。1961年没。

文章

### ボリス・マルタン　Boris Martin

フランス人。大学で法律を専攻。大学で研究をするかたわら、執筆業、人道的活動に従事する。ユマニテール誌(「世界の医療団」発行)の編集長を務める。著書には、20世紀前半の中国に滞在したフランス人の記録 “C'est de Chine que je t'écris...”(2004年)などがある。

訳者

### 岡崎秀　Hide Okazaki

英仏翻訳家。慶応義塾大学文学部仏文科卒。雑誌編集を経て翻訳に携わる。映像翻訳や英仏語でのインタビューなどもこなす。訳書に『世界の市場めぐり』『ビジュアル年表で読む 西洋絵画』『大切な人と過ごす贅沢ステイ』(日経ナショナル ジオグラフィック社)がある。

本書掲載のワルデマール・アベグが撮影した
オリジナルのガラス板(9×13cm)は帰国後、
ベルリンにあった小規模の会社 Photographische Jens Lützen で着色された。
同社は現在、廃業している。

本書中の一部に、今日では差別的とされる表現があります。当時の社会意識を伝えるため、また原文の意図を伝えるため、原文に忠実に訳したものであることをご了解ください。

ナショナル ジオグラフィック協会は、米国ワシントンD.C.に本部を置く、世界有数の非営利の科学・教育団体です。
1888年に「地理知識の普及と振興」をめざして設立されて以来、1万件以上の研究調査・探検プロジェクトを支援し、「地球」の姿を世界の人々に紹介しています。
ナショナル ジオグラフィック協会は、これまでに世界40のローカル版が発行されてきた月刊誌「ナショナル ジオグラフィック」のほか、雑誌や書籍、テレビ番組、インターネット、地図、さらにさまざまな教育・研究調査・探検プロジェクトを通じて、世界の人々の相互理解や地球環境の保全に取り組んでいます。日本では、日経ナショナル ジオグラフィック社を設立し、1995年4月に創刊した「ナショナル ジオグラフィック日本版」をはじめ、DVD、書籍などを発行しています。

ナショナル ジオグラフィック日本版のホームページ
**nationalgeographic.jp**

日経ナショナル ジオグラフィック社のホームページでは、音声、画像、映像など多彩なコンテンツによって、「地球の今」を皆様にお届けしています。

# 一〇〇年前の世界一周
## ある青年が撮った日本と世界

2009年11月30日　第1版1刷
2016年2月1日　5刷

著者　ワルデマール・アベグ
　　　ボリス・マルタン
訳者　岡崎秀
編集　石井ひろみ／葛西陽子
デザイン　渡邊民人／新沼寛子（TYPEFACE）
発行者　中村尚哉
発行　日経ナショナル ジオグラフィック社
　　　〒108-8646 東京都港区白金1-17-3
発売　日経BPマーケティング
印刷・製本　大日本印刷

ISBN978-4-86313-085-2
Printed in Japan